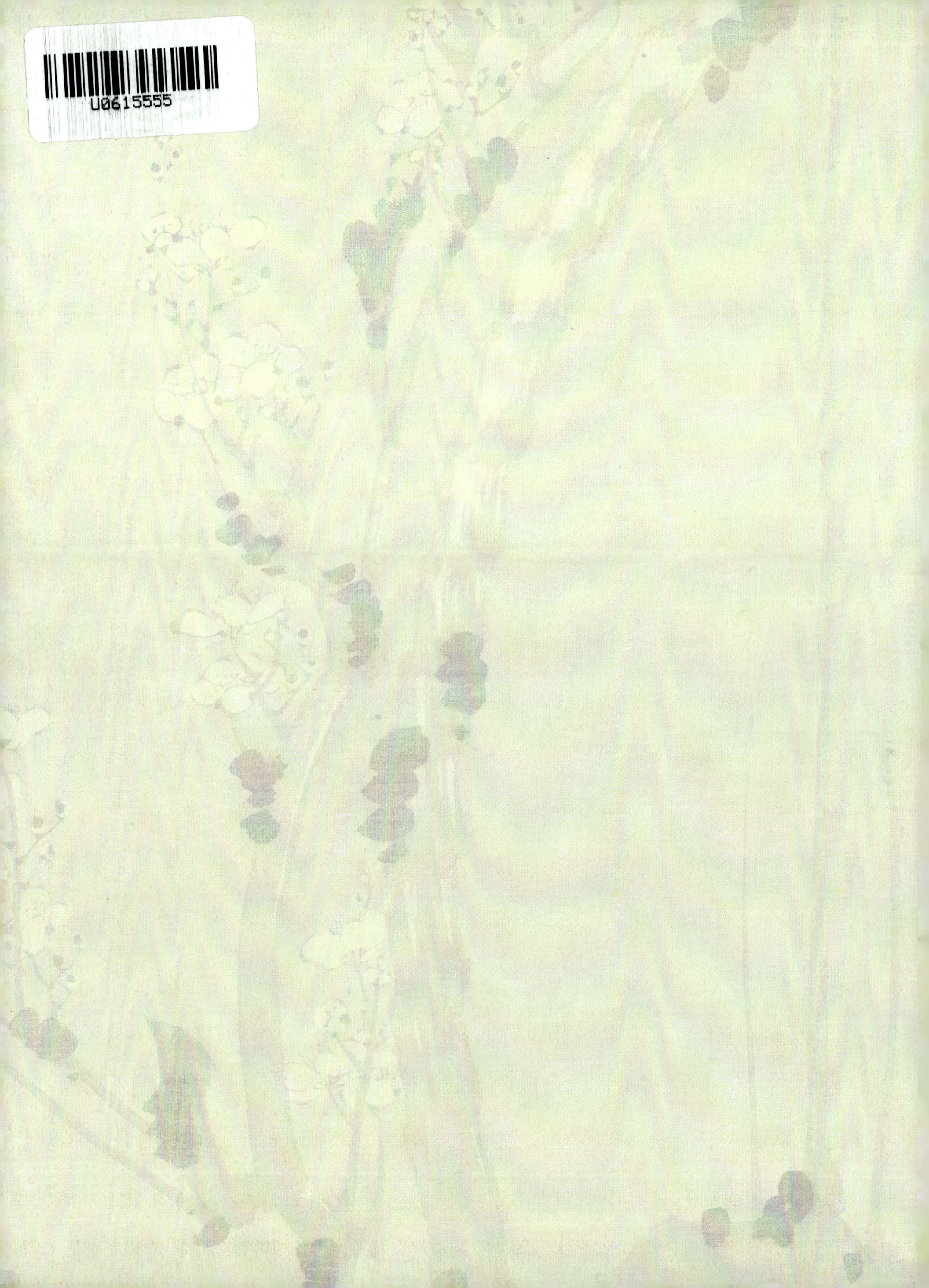

藝槩

清 劉熙載 著

清同治刊本

图书在版编目（C I P）数据

艺槩 / (清) 刘熙载著. -- 北京 : 海豚出版社,
2018.1
ISBN 978-7-5110-4143-2

Ⅰ. ①艺… Ⅱ. ①刘… Ⅲ. ①文艺评论－中国－古代
Ⅳ. ①I206.2

中国版本图书馆CIP数据核字(2017)第329616号

书名：艺槩
作者：(清) 刘熙载著
责任编辑：李俊
责任印制：蔡丽
出　　版：海豚出版社
网　　址：http://www.dolphin-books.com.cn
地　　址：北京市百万庄大街24号
邮　　编：100037
电　　话：010-68325006（销售）　010-68998879（总编室）
印　　刷：虎彩印艺股份有限公司
经　　销：新华书店及网络书店
开　　本：16开（210毫米×285毫米）
印　　张：21.625
字　　数：173（千）
版　　次：2018年1月第1版　2018年1月第1次印刷
标准书号：ISBN 978-7-5110-4143-2
定　　价：880元

出版説明

人是一種會思想的動物，無論是要適應環境，克服生存的困難，抑或爲了生活得更有意義，思想皆不可或缺。在一般的中文習慣中，思想的涵義比"哲學"更寬泛，這種語用習慣的差異，也影響到學者對學術視野的選擇。一般而論，思想史的範圍也較哲學史爲廣闊，雖然很少得到清晰地界定，但它不失爲一種有效的學術視野。

在近代中國學術史上，思想史研究的興起與哲學史大約同時。一九〇二年三月，梁任公在其創辦的《新民叢報》上連續發表了《論中國學術思想變遷之大勢》系列論文，這可能是最早由國人撰著發表的思想史論文。而第一本由國人撰寫的中国古代哲學通史，則爲一九一六年謝無量的《中國哲學史》。這兩本早期著述有其學術史的意義，但其中對學科的性質與研究方法等多無明確的説明。事實上，無論是學者的闡述，還是其實際的操作，在思想史與哲學史之間都不易劃出清晰的界限，直到當代也仍然如此。拋開細節不論，就語用習慣及有關實踐而言，思想史表徵一種對歷史文化廣闊而深入的關照，其研究方法，關注的問題，都較哲學史爲多元，史料基礎也不可同日而語。尤其是在郭沫若、侯外廬等人建立起來的研究傳統中，思想史有明确的社會史取向，或因其與傳統的文史之學有親和性，以至在今天，這種思路仍然很有生命力。

文獻發掘向來是思想史研究的基本環節。爲了促進有關研究，我們選輯多種文本編爲"中國古代思想史珍本文獻叢刊"。全編選目包括經典文本，如儒、道二家的經解，重要思想家作品的早期刻本，和某些并不廣泛受到關注的作家文集的舊刻本。本編中也選録了數種反映古代民俗信仰的文獻，如《關聖帝君聖跡圖志》、《卜筮正宗》等等。這些文本在傳統的學術視野中，多以爲不登大雅之堂，在今日視之，或者正因其反映了古代社會一般的信仰氛圍，而有重要的文本價值。此外，本編也著意收録了數種通常被視爲藝術史史料的文本，如《寶綸堂集》、《徐文長文集》等，我們認爲對思想史關注而言，範圍與深度同樣重要。

選集本編，也有文獻學上的意圖。中國古代有悠久的文獻學傳統，大量古籍文本的傳刻與整理造就了古代中國輝煌的古籍文化。本編收録的這些刻本不僅是古代學術發生、衍變的物質證據，也是古代古籍文化的重要部分。本編所收録的全部作品皆爲彩版影印，最大限度地保存了文獻的細節。其中有部分殘卷，視具體情況，或者補配，或者一仍其舊。本編的選目受制於編者的認識與底本資源，或者有不妥、不備之處，希望讀者不吝指正。

目録

藝槩

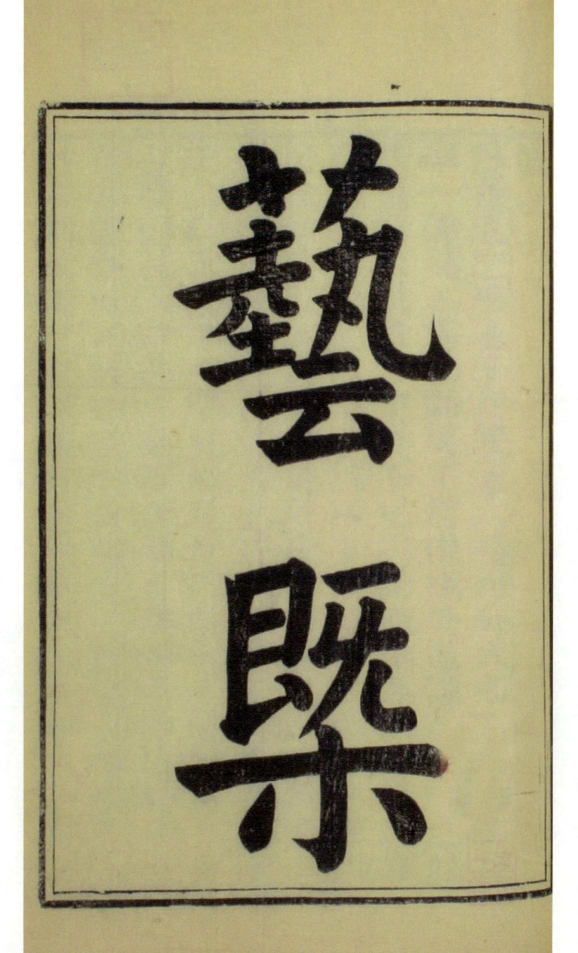

敘

藝者道之形也學者兼通六藝尙矣次則文章名類各舉一端莫不爲藝卽莫不當根極於道顧或謂藝之條緒綦繁言藝者非至詳不足以備道雖然欲極其詳詳有極乎若舉此以槩乎彼舉少以槩乎多亦何必殫竭無餘始足以明指要乎是故余平昔言藝好言其槩今復於存者輯之以名其名也莊子取槩乎皆嘗有聞太史公歎文辭不少槩見聞見皆以槩爲言非限於一曲也蓋得其大意則小缺爲無傷且觸類引伸妟知顯缺者非卽隱備者哉抑聞之大戴記曰通道必簡槩之云者知爲簡而已矣至果爲通道與否則存乎人之所見

余初不敢意必於其間焉

同治癸酉仲春興化劉熙載融齋自敘

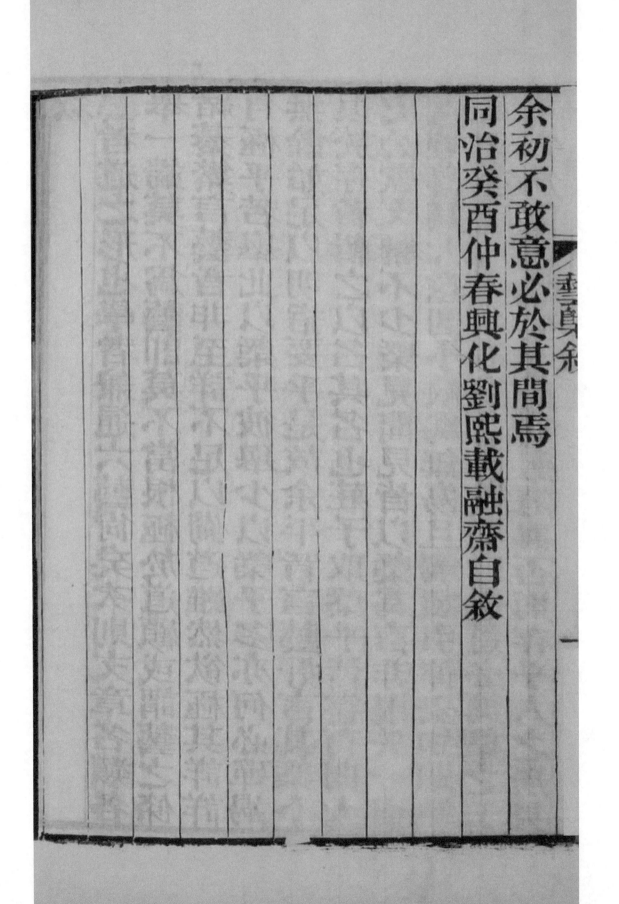

藝槩目錄

卷六
經義槃

藝槩卷一

興化　劉熙載　融齋

文槩

六經文之範圍也聖人之旨於經觀其大備其深博無涯涘乃文心雕龍所謂百家騰躍終入環內者也

有道理之家有義理之家有事理之家有情理之家四家說見劉劭人物志文之本領祇此四者盡之然孰非經所統攝者乎

九流皆託始於六經觀漢書藝文志可知其槩左氏之時有六經未有各家然其書中所取義已不能有純無雜揚子雲謂之品藻其意微矣

春秋文見於此起義在彼左氏窺此祕故其文虛實互藏兩在不測

微而顯志而晦婉而成章盡而不汙懲惡而勸善左氏釋經有此五體其實左氏敘事亦處處皆本此意

左氏敘事紛者整之孤者輔之板者活之直者婉之俗者雅之枯者腴之簡裁運化之方斯為大備

劉知幾史通謂左傳其言簡而要其事詳而博余謂百世史家類不出乎此法後漢書稱荀悅漢紀辭約事詳新唐書以文省事增為尚其知之矣

煩而不整俗而不典書不實錄賞罰不中文不勝質史家謂之五難評左氏者借是說以反觀之亦可知其

衆美兼擅矣

杜元凱序左傳曰其文緩呂東萊謂文章從容委曲而意獨至惟左氏所載當時君臣之言爲然蓋繇聖人餘澤未遠涵養自別故其辭氣不迫如此此可爲元凱下一注脚蓋緩乃無矜無躁不是弛而不嚴也

文得元氣便厚左氏雖說衰世事卻尙有許多元氣在

學左氏者當先意法而後氣象氣象所長在雍容爾雅然亦有因當時文勝之習而觭重以肖之者後人必沾沾求似恐失之嘽緩侈靡矣

蕭穎士與韋述書云於穀梁師其簡於公羊得其覈二語意皆明白惟言於左氏取其文文字要善認當知

孤質非文浮豔亦非文也

左氏敘戰之將勝者必先有戒懼之意如韓原秦穆之言城濮晉文之言邲楚莊之言皆是也不勝者反此觀指觀歸故文貴於所以然處著筆

左傳善用密國策善用疎國策之章法筆法奇矣若論字句之精嚴則左公允推獨步

左氏與史遷同一多愛故於六經之旨均不無出入若論不動聲色則左於馬加一等矣

馳騁田獵令人心發狂以左氏之才之學而文必範我馳驅其識慮遠矣

國語周魯多掌故齊多制晉越多謀其文有甚厚甚精

處亦有翦裁疎漏處讀者宜別而取之

柳柳州嘗作非國語然自序其書稱國語文深閎傑異其與韋中立書謂參之國語以博其趣則國語之懿亦可見矣

公穀二傳解義皆推見至隱非好學深思不能有是至傳閒有異疑信並存正其不敢過而廢之之意

公穀兩家善讀春秋本經輕讀重讀緩讀急讀讀不同而義以別矣莊子逸篇仲尼讀春秋老聃踞竈觚而聽雖屬寓言亦可為春秋尚讀之證

左氏尚禮故文公羊尚智故通穀梁尚義故正

公羊堂廡較大穀梁指歸較正左氏堂廡更大於公羊

而指歸往往不及穀梁

檀弓語少意密顯言直言所難盡者但以句中之眼文外之致含藏之已使人自得其實是何神境

左氏森嚴文贍而義明人之盡也檀弓渾化語疎而情密天之全也

文之自然無若檀弓刻畫無若攷工公穀檀弓誠愨頎至攷工樸屬微至

問喪一篇纏緜悽愴與三年問皆爲戴記中之至文三年問大要出於荀子知問喪之傳亦必古矣

家語非劉向校定之遺亦非王肅孔猛所能託大抵儒家會集記載而成書是以有純有駁在讀者自辨之

耳
家語好處可即以家語中一言評之曰篤雅有節
家語之文純者可幾檀弓雜者甚或不及孔叢子
國策疵弊曾子固戰國策目錄序盡之矣抑蘇老泉諫論曰蘇秦張儀吾取其術不取其心蓋嘗推此意以觀之如魯仲連之不帝秦正矣然自稱爲人排患釋難解紛亂其非無術可知然則讀書者亦顧所用何如耳使用之不善亦何讀而可哉
戰國說士之言其用意類能先立地步故得如善攻者使人不能守善守者使人不能攻也不然專於措辭求奇雖復可驚可喜不免肥而易敗

文之快者每不沈沈者每不快國策乃沈而快文之雋者每不雄雄者每不雋國策乃雄而雋

國策明快無如虞卿之折樓緩慷慨無如荆卿之辭燕丹

國策文有兩種一堅明約束賈生得之一沈鬱頓挫司馬子長得之

杜詩義鶻行云斗上捩孤影一斗字形容鶻之奇變極矣文家用筆得斗字訣便能一落千丈一飛沖天國策其尤易見者

韓子曰孟氏醇乎醇程子曰孟子儘雄辯韓對荀揚言之程對孔顏言之也

孟子之文至簡至易如舟師執柁中流自在而推移費力者不覺自屈竊山楊氏論孟子千變萬化只說從心上來可謂探本之言

孟子之文百變而不離其宗然此亦諸子所同其度越諸子處乃在析義至精不惟用法至密也

集義養氣是孟子本領不從事於此而學孟子之文得無象之然乎

荀子明六藝之歸其學分之足了數大儒其尊孔子黜異端貴王賤霸猶孟子志也讀者不能擇取之而必過疵之亦惑矣

孟子之時孔道已將不著況荀子時乎荀子矯世之枉

雖立言之意時或過激然非自知明而信道篤者不能

易傳言智崇禮卑荀卿立言不能皆粹然大要在禮智之間

屈子離騷之旨只百爾所思不如我所之二語足以括之百爾如女須靈氛巫咸皆是

太史公屈原傳贊曰悲其志又曰未嘗不垂涕想見其爲人志也爲人也論屈子辭者其斯爲觀其深哉

孟子曰小弁之怨親親也親親仁也夫忠臣之事君孝子之事親一也屈子離騷若經孟子論定必深有取焉

文麗用寡揚雄以之稱相如然不可以之稱屈原蓋屈之辭能使讀者興起盡忠疾邪之意便是用不寡也

國手置棋觀者迷離置者明白離騷之文似之不善讀者疑為於此於彼恍惚無定不知只由自己眼低

蘇老泉謂詩人優柔騷人清深其實清深中正復有優柔意

古人意在筆先故得舉止閒暇後人意在筆後故至手腳忙亂杜元凱稱左氏其文緩曹子桓稱屈原優游緩節緩豈易及者乎

莊子文看似胡說亂說骨裏卻儘有分數彼固自謂猖狂妄行而蹈乎大方也學者何不從蹈大方處求之

莊子寓眞於誕寓實於元於此見寓言之妙

莊子文法斷續之妙如逍遥遊忽說鵬忽說蜩與鷽鳩斥鷃是爲斷下乃接之曰此大小之辨也則上文之斷處皆續矣而下文宋榮子許由接輿惠子諸斷處亦無不續矣

文有合兩篇爲關鍵者莊子逍遥遊小知不及大知小年不及大年讀者初不覺意注何處直至齊物論天下莫大於秋毫之末四句始見前語正豫爲此處翻轉地耳

文之神妙莫過於能飛莊子之言鵬曰怒而飛今觀其文無端而來無端而去殆得飛之機者烏知非鵬之

學爲周耶

莊子齊物論大塊噫氣其名爲風一段體物入微與之神似者攷工記後柳州文中亦間有之

意出塵外怪生筆端莊子之文可以是評之其根極則天下篇已自道矣曰充實不可以已

老年之文多平淡莊子書中有莊子將死一段其爲晚年之作無疑然其文一何詼詭之甚

莊子是跳過法離騷是回抱法國策是獨闢法左傳史記是兩寄法

有路可走卒歸於無路可走如屈子所謂登高吾不說入下吾不能是也無路可走卒歸於有路可走如莊

子所謂今子有五石之瓠何不慮以爲大樽而浮於江湖今子有大樹何不樹之於無何有之鄉廣莫之野是也而二子之書之全旨亦可以此槩之

柳子厚辯列子云其文辭類莊子而尤爲質厚少爲作好文者可廢耶案列子實爲莊子所宗本其辭之淑詭時或甚於莊子惟其氣不似莊子放縱耳

文章蹊徑好尚自莊列出而一變佛書入中國又一變世說新語成書又一變此諸書人鮮不讀讀鮮不嗜往往與之俱化惟涉之而不溺役之而不爲所役是在卓爾之大雅矣

文家於莊列外喜稱楞嚴淨名二經識者知二經乃似

關尹子而不近莊列葢二經筆法有前無卻莊列俱有曲致而莊尤縹緲奇變乃如風行水上自然成文也

韓非鋒穎太銳莊子天下篇稱老子道術所戒曰銳則挫矣惜乎非能作解老喻老而不鑒之也至其書大端之得失太史公業已言之

管子用法術而本源未爲失正如上服度則六親多固四維張則君令行此等語豈申韓所能道

周秦間諸子之文雖純駁不同皆有箇自家在內後世爲文者於彼於此左顧右盼以求當衆人之意宜亦諸子所深恥與

秦文雄奇漢文醇厚大抵越世高談漢不如秦本經立義秦亦不能如漢也

西京文之最不可及者文帝之詔書也周書呂刑論者以爲哀矜惻怛猶可以想見三代忠厚之遺意然彼文至而實不至孰若文帝之情至而文生耶

西漢文無體不備言大道則董仲舒該百家則淮南子敘事則司馬遷論事則賈誼辭章則司馬相如人知數子之文純粹旁礴窈眇昭晰雍容各有所至尤當於其原委窮之

賈生陳政事大抵以禮爲根極劉歆移讓太常博士書云在漢朝之儒惟賈生而已一儒字下得極有分曉

何太史公但稱其明申商也

賈生謀慮之文非策士所能道經制之文非經生所能道漢臣後起者得其一支一節皆足以建議朝廷擅名當世然孰若其籠罩羣有而精之哉

柳子厚與楊京兆憑書云明如賈誼一明字體用俱見若文心雕龍謂賈生俊發故文潔而體清語雖較詳然似將賈生作文士看矣

隋書李德林傳任城王湝遺楊遵彥書曰經國大體是賈生鼂錯之儔雕蟲小技殆相如子雲之輩此重美德林之兼長耳然可見馬揚所長在研鍊字句其識議非賈鼂比也

鼂家令趙營平皆深於籌策之文趙取成其事不必其奇也鼂取切於時不必其高也

董仲舒學本公羊而進退容止非禮不行則其於禮也深矣至觀其論大道深奥宏博又知於諸經之義無所不貫

董仲舒對策言諸不在六藝之科孔子之術者皆絕其道勿使並進其見卓矣揚雄非聖哲之書不好蓋衷此意然未若董之自得也

漢家制度王霸雜用漢家文章周秦並法惟董仲舒一路無秦氣

馬遷之史與左氏一揆左氏先經以始事後經以終義

依經以辯理錯經以合異在焉則夾敘夾議於諸法
已不移而具

文之道時爲大春秋不同於尚書無論矣卽以左傳史
記言之强左爲史則噍殺强史爲左則嘽緩惟與時
爲消息故不同正所以同也

文之有左馬猶書之有羲獻也張懷瓘論書云若逸氣
縱橫則羲謝於獻若簪裾禮樂則獻不繼羲

末世爭利維彼奔義太史公於敘伯夷列傳發之而史
記全書重義之旨亦不異是書中言利處寓貶於褒
班固譏其崇勢利而羞貧賤宜後人之復譏固與

太史公文精神氣血無所不具學者不得其眞際而襲

其形似此莊子所謂非生人之行而至死人之理適得怪焉者也

太史公文疎與密皆詣其極密者義法也蘇子由稱其疎蕩有奇氣於義法猶未道及

太史公時有河漢之言而意理卻細入無間評者謂亂道卻好其實本非亂道也

史記敘事文外無窮雖一溪一壑皆與長江大河相若

敘事不合參入斷語太史公寓主意於客位允稱微妙

太史公文悲世之意多憤世之意少是以立身常在高處至讀者或謂之悲或謂之憤又可以自徵器量焉

太史公文兼括六藝百家之旨第論其惻怛之情抑揚

之致則得於詩三百篇及離騷居多
學離騷得其情者爲太史公得其辭者爲司馬長卿長
卿雖非無得於情要是辭一邊居多離形得似當以
史公爲尙
學無所不闚善指事類情太史公以是稱莊子亦自寓
也
文如雲龍霧豹出沒隱見變化無方此莊騷太史所同
尙禮法者好左氏尙天機者好莊子尙性情者好離騷
尙智計者好國策尙意氣者好史記好各因人書之
本量初不以此加損焉
太史公文與楚漢閒文相近其傳楚漢閒人成片引其

言語與己之精神相入無間直令讀者莫能辨之

子長精思逸韻俱勝孟堅或問逸韻非孟堅所及固也精思復何以異曰子長能從無尺寸處起尺寸孟堅遇尺寸難施處則差數覯矣

太史公文韓得其雄歐得其逸雄者善用直捷故發端便見出奇逸者善用紆徐故引緒乃覘入妙

畫訣石有三面樹有四枝蓋筆法須兼陰陽向背也於司馬子長文往往遇之

太史公文如張長史於歌舞戰鬭悉取其意與法以爲草書其祕要則在於無我而以萬物爲我也

淮南子連類喻義本諸易與莊子而奇偉宏富又能自

用其才雖使與先秦諸子同時亦足成一家之作

賈長沙太史公淮南子三家文皆有先秦遺意若董江都劉中壘乃漢文本色也

司馬長卿文雖乏實用然舉止矜貴揚搉典碩故昌黎碑板之文亦儀象之

用辭賦之駢麗以為文者起於宋玉對楚王問後此則鄒陽枚乘相如是也惟此體施之必擇所宜古人自主文譎諫外鮮或取焉

劉向文足繼董仲舒仲舒治公羊向治穀梁仲舒對策向上封事引春秋並言天地之常經古今之通義亦可見所學之務乎其大不似經生習氣譊譊置辯於

細故之異同也

劉向匡衡文皆本經術向傾吐肝膽誠懇悱惻說經卻轉有大意處衡則說經較細然覺志不逮辭矣

揚子雲說道理可謂能將許大見識尋求然從來足於道者文必自然流出太元法言抑何氣盡力竭耶

揚子法言有些憨意蓋專己創言人雖怪且厭之弗爲少動也

東坡答謝民師書謂揚雄好爲艱深之辭以文淺易之說子固答王深甫論揚雄書云鞏自度學每有所進則於雄書每有所得曾蘇所見不同如此介甫與王深甫書亦盛推雄如所謂孟子沒能言大人而不放

於老莊者揚子而已是也
司馬溫公敘揚子謂孟子好詩書文直而顯荀子好禮文富而麗揚子好易文簡而奧孟荀揚並稱無別與昌黎之論三子異矣
揚子雲之言其病正坐近似聖人朱子語類云若能得聖人之心則雖言語各別不害其爲同此可知學貴實有諸已也
孫可之與高錫望書云文章如面史才最難到司馬子長之地千載獨聞得揚子雲余謂子雲之史今無可見大抵已被班氏取入漢書漢書揚雄傳或疑出於雄所自述亦可見其梗槩矣

班孟堅文宗仰在董生匡劉諸家雖氣味已是東京然爾雅深厚其所長也

蘇子由稱太史公疎蕩有奇氣劉彥和稱班孟堅裁密而思靡疎密二字其用不可勝窮

王充王符仲長統三家文皆東京之矯矯者分按之大抵論衡奇創略近淮南子潛夫論醇厚略近董廣川昌言俊發略近賈長沙范史譏三子好申一隅之說然無害爲各自成家

王充論衡獨抒己見思力絕人雖時有激而近僻者然不掩其卓詣故不獨蔡中郎劉子元深重其書卽韓退之性有三品之說亦承藉於其本性篇也

潛夫論皆貴德義抑榮利之旨雖論卜論夢亦然

東漢文浸入排麗是以難企西京繆襲稱仲長統才章足繼董賈劉揚今以昌言與數子之書並讀氣格果相伯仲耶

仲長統深取崔寔政論謂凡爲人主宜寫一通置之坐側按政論所言主權不主經謂濟時拯世不必體堯蹈舜此豈爲治之常法哉而統服之若此宜其所著之昌言旨不皆粹也

崔寔政論參霸政之法術荀悅申鑒明古聖王之仁義悅言屏四患崇五政允足爲後世法戒寔言孝宣優於孝文意在矯衰漢之弊故不覺言之過當耳

遒文壯節於漢季得兩人焉孔文舉臧子源是也曹子建陳孔璋文爲建安之傑然尚非其倫比

孔北海文雖體屬駢麗然卓犖遒亮令人想見其爲人唐李文饒文氣骨之高差可繼踵

鄭康成戒子益恩書雍雍穆穆隱然涵詩禮之氣

漢魏之閒文滅其質以武侯經世之言而當時怪其文采不豔然彼豔者如實用何

曾子固徐幹中論目錄序謂幹能考六藝推仲尼孟子之旨余謂幹之文非但其理不駁其氣亦雍容靜穆非有養不能至焉

徐幹中論說道理俱正而實審大臣篇極推荀卿而不

取遊說之士考僞篇以求名爲聖人之至禁其指槩可見矣魏文稱其含文抱質恬淡寡欲有箕山之志蓋爲得之然偉長豈以是言增重哉

陳壽三國志文中子謂其依大義而削異端晁公武讀書志謂其高簡有法可見義法二字爲史家之要

晉元康中范頵等上表謂陳壽文豔不及相如而質直過之此言殆外矣相如自是辭家壽是史家體本不同文質豈容並論

文中子抑遷固而與陳壽所言似過然觀壽書練覈事情每下一字一句極有斤兩雖遷固亦當心折

六代之文麗才多而練才少有練才焉如陸士衡是也

蓋其思既能入微而才復足以籠鉅故其所作皆傑
然自樹質幹文心雕龍但目以情繁辭隱殊未盡之

陶淵明爲文不多且若未嘗經意然其文不可以學而
能非文之難有其胸次爲難也

史家學識當出文士之上范蔚宗嘗自言耻作文士文
然其史筆於文士纖雜之見往往振刷不盡

史通稱孟堅辭惟溫雅理多愜當其尤美者有典誥之
風范史自謂循吏以下諸序論筆勢縱放往往不減
過秦篇史通亦言蔚宗參蹤於賈誼班范兩家宗派
於此別矣

酈道元敘山水峻潔層深奄有楚辭山鬼招隱士勝境

柳柳州遊記此其先導耶

劉勰新論體出於韓非子說林及淮南子說山訓說林訓其中格言如愼獨篇獨立不慙影獨寢不愧衾二語六朝時幾人能道及此

王仲淹中說似其門人所記其意理精實氣象雍裕可以觀其所藴亦可以知記者之所得矣

荀子與文中子皆深於禮樂之意其文則荀子較雄峻文中子較深婉可想其質學各有所近後此如韓昌黎李習之兩家文分塗亦然

荀子言法後王文中子稱漢七制之主特節取之意耳至宋永嘉諸公遂本此意衍爲學派而一切議論因

之未免偏據而規小矣
畏天憫人四字見文中子周公篇蓋論易也今讀中說
全書覺其心法皆不出此意
元次山文狂狷之言也其所著出規意存乎有為處規
意存乎有守至七不如七篇雖若憤世太深而憂世
正復甚摯是亦足使頑廉懦立未許以矯枉過正目
之
陸宣公文貴本親用旣非腐儒之迂疏亦異雜霸之功
利於此見情理之外無經濟也
陸宣公奏議評以四字曰正實切事
陸宣公奏議妙能不同於賈生賈生之言猶不見用況

德宗之量非文帝比故激昂辯折有所難行而紆餘委備可以巽入且氣愈平婉愈可將其意之洸切故後世進言多學宣公一路惟體制不必仍其排偶耳

賈生陸宣公之文氣象固有辨矣若論其實陸象山最說得好賈誼是就事上說仁義陸贄是就仁義上說事

獨孤至之文抑邪與正與韓文同唐實錄稱韓愈師其爲文乃韓則未嘗自言學於韓者復不言唐書本傳亦僅言梁肅高參崔元翰陳京唐次齊抗師事之而韓不與焉要其文之足重固不係乎韓師之也

昌黎接孟子知言養氣之傳觀答李翊書學養並言可

見

昌黎謂仁義之人其言藹如蘇老泉以孟韓爲溫醇意葢隱合

說理論事涉於遷就便是本領不濟看昌黎文老實說出緊要處自使用巧騁奇者望之辟易

韓文起八代之衰實集八代之成葢惟善用古者能變古以無所不包故能無所不埽也

八代之衰其文內竭而外侈昌黎易之以萬怪惶惑抑遏蔽掩在當時眞爲補虛消腫良劑

昌黎論文曰惟其是爾余謂是字註腳有二曰正曰眞

昌黎以是異二字論文然二者仍須合一若不異之是

則庸而已不是之異則妄而已

昌黎自言約六經之旨而成文旨字專以本領言不必其文之相似故雖於莊騷太史子雲相如之文博取兼資其約經旨者自在也陸傪見李習之復性書曰子之言尼父之心也亦不以文似孔子而云然

昌黎謂柳州文雄深雅健似司馬子長觀此評非獨可知柳州并可知昌黎所得於子長處

論文或專尚指歸或專尚氣格皆未免著於一偏舊唐書韓愈傳經誥之指歸遷雄之氣格二語推韓之意以爲言可謂觀其備矣

昌黎文兩種皆於答尉遲生書發之一則所謂昭晰者

無疑行峻而言厲是也一則所謂優游者有餘心醇而氣和是也

昌黎自言其文亦時有感激怨懟奇怪之辭揚子雲便不肯作此語此正韓之胸襟坦白高出於揚非不及也

昌黎送窮文自稱其文曰不專一能怪怪奇奇不可時施祇以自嬉東坡嘗與黃山谷言柳子厚賀王參元失火書曰此人怪怪奇奇亦三端中得一好處也亦字言外寓推韓微旨

一波未平一波已作出入變化不可紀極而法度不可亂此姜白石詩說也是境常於韓文遇之

昌黎與李習之書紆餘澹折便與習之同一意度歐文
若導源於此

昌黎言作爲文章其書滿家書非止爲作文用也觀所
爲盧殷墓誌云無書不讀然止用以資爲詩曾是惜
人者而自蹈之乎

李義山韓碑詩云點竄堯典舜典字塗改淸廟生民詩
其論昌黎也外矣古人所稱俳優之文何嘗不正如
義山所謂

昌黎尙陳言務去所謂陳言者非必勦襲古人之說以
爲己有也只識見議論落於凡近未能高出一頭深
入一境自結撰至思者觀之皆陳言也

文或結實或空靈雖各有所長皆不免著於一偏試觀韓文結實處何嘗不空靈空靈處何嘗不結實

昌黎曰學所以爲道文所以爲理耳又曰愈之所志於古者不惟其辭之好好其道焉耳東坡稱公文起八代之衰道濟天下之溺文與道豈判然兩事乎哉

張籍謂昌黎與人爲無實駁雜之說柳子厚盛稱毛穎傳兩家所見若相逕庭顧韓之論文曰醇曰肆張就醇上推求柳就肆上欣賞皆韓志也

呂東萊古文關鍵謂柳州文出於國語王伯厚謂子厚非國語其文多以國語爲法余謂柳文從國語入不從國語出益國語每多言舉典柳州之所長乃尤在

廉之欲其節也

柳文之所得力具於與韋中立論師道書東萊謂柳州文出於國語蓋專指其一體而言

柳州答韋中立書云參之穀梁以厲其氣參之莊老以肆其端參之國語以博其趣參之離騷以致其幽參之太史以著其潔報袁君陳秀才書亦云左氏國語莊周屈原之辭稍采取之穀梁子太史公甚峻潔可以出入

東萊謂學柳文當戒他雄辯余謂柳文兼備各體非專尚雄辯者且雄辯亦正有不可少處如程明道謂孟子儘雄辯是也

柳州自言爲文章未嘗敢以昏氣出之未嘗敢以矜氣作之余嘗以一語斷之曰柳文無耗氣凡昏氣矜氣皆耗氣也惟昏之爲耗也易知矜之爲耗也難知耳

柳文如奇峰異嶂層見疊出所以致之者有四種筆法突起紆行峭收縵迴也

柳州記山水狀人物論文章無不形容盡致其自命爲牢籠百態固宜

柳子厚永州龍興寺東邱記云遊之適大率有二曠如也奧如也如斯而已袁家渴記云舟行若窮忽又無際愚溪詩序云漱滌萬物牢籠百態此等語皆若自喻文境

文以鍊神鍊氣爲上半截事以鍊字鍊句爲下半截事
此如易道有先天後天也柳州天資絕高故雖自下
半截得力而上半截未嘗偏絀焉
柳州係心民瘼故所治能有惠政讀捕蛇者說送薛存
義序頗可得其精神鬱結處
文莫貴於精能變化昌黎送董邵南遊河北序可謂變
化之至柳州送薛存義序可謂精能之至
昌黎論文之旨於答尉遲生書見之曰君子愼其實柳
州論文之旨於報袁君陳秀才書見之曰大都文以
行爲本在先誠其中
昌黎屢稱子雲柳子厚於法言嘗爲之注今觀兩家文

脩辭鍊字皆有得於揚子至意理之多所取資固矣昌黎之文如水柳州之文如山浩乎沛然曠如奧如二公殆各有會心

朱子曰韓退之議論正規模闊大然不如柳子厚較精密此原專指柳州論鶡冠子等篇後人或因此謂一切之文精密槩出韓上誤矣

學者未能深讀韓柳之文輒有意尊韓抑柳最爲陋習晏元獻云韓退之扶導聖教剗除異端是其所長若其祖述墳典憲章騷雅上傳三古下籠百氏橫行闊視於綴述之場子厚一人而已此論甚爲偉特

李習之文蘇子美謂辭不逮韓而理過於柳蘇老泉上

歐陽內翰書取其俯仰揖讓之態合理與態而其全見矣

昌黎答劉正夫問文曰無難易惟其是而已李習之答王載言書曰其愛難者則曰文章宜深不當易其愛易者則曰文章宜通不當難此皆情有所偏滯而不流未識文章之所主也於此見兩公文一脈相通矣

李習之文氣似不及昌黎然傳稱其辭致渾厚見推當時由一致字求之便可隱知其妙

韓文出於孟子李習之文出於中庸宗李多於宗韓者宋文也

韓昌黎不稱王仲淹中說而李習之答王載言書稱之

今觀習之之文俯仰揖讓固於中說爲近
皇甫持正論文嘗言文奇理正然綜觀其意究是一於
好奇如答李生書云意新則異常異於常則怪矣詞
高則出衆出於衆則奇矣此益學韓而第得其所謂
怪怪奇奇祇以自嬉者
或問持正文於揚子雲何如曰辭近太元理猶未及法
言問較李元賓之何辭何如曰不沿襲前人似之
文得昌黎之傳者李習之精於理皇甫持正練於辭習
之之一宗直爲北宋名家發源之始而祖述持正者則
自孫可之後已罕聞成家者矣
杜牧之識見自是一時之傑觀所作罪言謂上策莫如

自治中策莫如取魏最下策爲浪戰又兩進策於李文饒皆案切時勢見利害於未然以文論之亦可謂不浪戰者矣

孫可之與友人論文書云詞必高然後爲奇意必深然後爲工如斯宗旨其卽可之得之來無擇無擇得之持正者耶

廣明時詔書謂孫樵有揚馬之文樵與高錫望書自稱熟司馬遷揚子雲書然則詔所云馬者殆亦指史遷非相如耶

劉蛻文意欲自成一子如山書十八篇古漁父四篇辭若僻而寄託未嘗不遠學楚辭尤有深致哀湘竹下

清江招帝子雖止三章頗得九歌遺意

李習之與陸傪書盛推昌黎文謂嘗書其一章曰獲麟解其他可以類知孫可之與王霖書稱進學解拔地倚天句句欲活今觀兩家文信乎各得所近

宋史柳開傳稱開始慕韓愈柳宗元爲文穆修傳亦言自五代文敝國初柳開始爲古文今觀伯長所爲唐柳先生文集後序云天厚余嗜多矣始而饜我以韓既而飫我以柳謂天不吾厚豈不誣也哉可知其所學與仲塗一矣

尹師魯爲古文先於歐公歐公稱其文簡而有法且謂在孔子六經中惟春秋可當蓋師魯本深於春秋故

文正爲撰文集序嘗言之錢文僖起雙桂樓建臨園驛尹歐皆爲作記歐記凡數千言而尹祇用五百字歐服其簡古是亦簡而有法之一證也

范文正貶饒州師魯上書言仲淹臣之師友願得俱貶其爲國重賢如此而於文正所爲岳陽樓記則曰傳奇體耳其不阿所好又如此固宜能以古學振起當時也

歐陽公文幾於史公之潔而幽情雅韻得騷人之指趣爲多

歐陽公五代史諸論深得畏天憫人之旨蓋其事不足言而又不忍不言言之怫於己不言無以懲於世情

見乎辭亦可悲矣公他文亦多惻隱之意

屈子卜居史記伯夷傳妙在於所不疑事卻參以活句

歐文往往似此

歐公稱昌黎文深厚雄博蘇老泉稱歐公文紆餘委備

大抵歐公雖極意學韓而性之所近乃尤在李習之

不獨老泉於公謂李翺有執事之態即公文亦云欲生翺時與翺上下其論所尚益可見矣

謝疊山云歐陽公文章為一代宗師然藏鋒斂鍔韜光沈馨不如韓文公之奇奇怪怪可喜可愕按歐之奇不如韓固有之然於韓之抑遏蔽掩不使自露詎相遠乎

蘇老泉迂董詐鼂謂賈生有二子之才而不流余謂老泉文取徑異於董而用意往往雜以鼂迂董於董無損詐鼂恐鼂不服也

昌黎答劉正夫書曰若聖人之道不用文則已用則必尚其能者曾南豐稱蘇老泉之文曰脩能使之約遠能使之近大能使之微小能使之著煩能不亂肆能不流能之一字足明老泉之得力正不必與韓量長較短也

論文鮮有極稱穀梁孫吳者獨柳州曰參之穀梁以厲其氣老泉曰孫吳之簡切殆好必從其所類耶

蘇老泉云風行水上渙此天下之至文也余謂大蘇文

一瀉千里小蘇文一波三折亦本此意

東坡文亦孟子亦賈長沙陸敬輿亦莊子亦秦儀心目窒隘者可資其博達以自廣而不必槩以純詣律之

東坡文只是拈來法此由悟性絕人故處處觸著耳至其理有過於通而難守者固不及備論

東坡文雖打通牆壁說話然立脚自在穩處譬如舟行大海之中把柁未嘗不定視放言而不中權者異矣

老子云信言不美美言不信東坡文不乏信言可採學者偏於美言歎賞之何故

坡文多微妙語其論文曰快曰達曰了正爲非此不足以發微闡妙也

遠想出宏域高步超常倫文家具此能事則遇困皆通且不妨故設困境以顯通之之妙用也大蘇文有之

東坡讀莊子嘆曰吾昔有見口未能言今見是書得吾心矣後人讀東坡文亦當有是語蓋其過人處在能說得出不但見得到已也

東坡最善於沒要緊底題說沒要緊底話未曾有底題說未曾有底話抑所謂君從何處看得此無人態耶

歐文優游有餘蘇文昭晰無疑

介甫之文長於埽東坡之文長於生埽故高生故贍

東坡之文工而易觀其言秦得吾工張得吾易分明自作贊語文潛卓識偉論過少游然固在坡函蓋中

子由稱歐陽公文雍容俯仰不大聲色而義理自勝東坡答張文潛書謂子由文汪洋澹泊有一唱三歎之聲而其秀傑之氣終不可沒此豈有得於歐公者耶子由曰子瞻之文奇吾文但穩耳余謂百世之文總可以奇穩兩字判之

王震南豐集序云先生自負似劉向不知韓愈爲何如爾序內卻又謂其衍裕雅重自成一家噫藉非能自成一家亦安得爲善學劉向與

曾文窮盡事理其氣味爾雅深厚令人想見碩人之寬王介甫云夫安驅徐行轥中庸之廷而造乎其室舍二賢人者而誰哉二賢謂正之子固也然則子固之

文郎肖子固之爲人矣

昌黎文意思來得硬直歐曾來得柔婉硬直見本領柔婉正復見涵養也

韓文學不掩才故雖約六經之旨而成文未嘗不自我作古至歐曾則不敢直以作者自居較之韓若有智崇禮卑之别

王介甫文取法孟韓曾子固與介甫書述歐公之言曰孟韓文雖高不必似之也取其自然耳則其學之所幾與學之過當俱可見矣

王安石解孟子十四卷爲崇觀間舉子所宗說見郡齋讀書後志觀介甫上人書有云孟子曰君子欲其自

得之也孟子之云爾非直施於文而已然亦可託以爲作文之本意是則解孟亦豈無意於文乎

介甫文之得於昌黎在陳言務去其譏韓有力去陳言誇末俗之句實乃心鄉往之

曾子固稱介甫文學不減揚雄而介甫詠揚雄亦云千古雄文造聖眞眇然幽息入無倫慕其文者如此其深則必效之惟恐不及矣

介甫文兼似荀揚荀好爲其矯揚好爲其難

柳州作非國語而文學國語半山謂荀卿好妄荀卿不知禮而文亦頗似荀子文家不以訾謷爲棄取正如東坡所謂我憎孟郊詩復作孟郊語也

荆公文是能以品格勝者看其人取我棄自處地位儘高

半山文善用揭過法只下一二語便可掃卻他人數大段是何簡貴

謝疊山評荆公文曰筆力簡而健余謂南人文字失之冗弱者十常八九殆非如荆公者不足以矯且振之

半山文瘦硬通神此是江西本色可合黃山谷詩派觀之

荆公遊褒禪山記云入之愈深其進愈難而其見愈奇余謂深難奇三字公之學與文得失並見於此

介甫文於下愚及中人之所見皆剗去不用此其長也

至於上智之所見亦剝去不用則病痛非小

介甫上邵學士書云某嘗患近世之文辭弗顧於理理弗顧於事以襞積故實爲有學以雕繪語句爲精新譬之擷奇花之英積而玩之雖光華聲采鮮縟可愛求其根柢濟用則蔑如也又上人書云所謂文者務爲有補於世而已矣所謂辭者猶器之有刻鏤繪畫也誠使巧且華不必適用誠使適用亦不必巧且華余謂介甫之文洵異於尙辭巧華矣特未思免於此弊仍未必濟用適用耳

半山文其猶藥乎治病可以致生養生或反致病

半山說得世人之病好只是他立處未是

介甫文每言及骨肉之情酸惻嗚咽語語自肺腑中流出他文卻未能本此意擴而充之

李泰伯文朱子謂其自大處起議論如古潛夫論之類劉壎隱居通議謂其所作袁州學記高出歐蘇百世不朽按泰伯之學深於周禮其所爲文率皆法度謹嚴宋史本傳但載其所上明堂定制圖序尙非其極也東坡謂嘗見泰伯自述其文曰天將壽我與所爲固未足也不然斯亦足以藉手見古人矣觀是言其生平之力勤詣卓具見

劉原父文好摹古故論者譽訾參半然其於學無所不究其大者如解春秋多有古人所未言朝廷每有禮

樂之事必就其家以取決豈曰文焉已哉卽以文論歐公爲作墓誌稱其立馬卻坐一揮九制文辭典雅各得其體朱子稱其才思極多湧將出來亦可見其崖略矣

李忠定奏疏論事指畫明豁其天資似更出陸宣公上然觀其書檄志云一應書檄之作皆當以陸宣公爲法則知得於宣公者深矣

朱子之文表裏瑩徹故平平說出而轉覺矜奇者之爲庸明明說出而轉覺恃奧者之爲淺其立定主意步步回顧方遠而近似斷而連特其餘事

朱子云余年二十許時便喜讀南豐先生之文而竊慕

效之竟以才力淺短不能遂其所願又云某未冠而讀南豐先生之文愛其詞嚴而理正居常以爲人之爲言必當如此乃爲非苟作者朱子之服膺南豐如此其得力尙須問耶

陳龍川喜學歐文嘗選歐文曰歐陽文粹其序極與歐文相類然他文卻不盡似之此如人飲水冷煖自知原不必字摹句擬類於執迹以求履憲也

陳同甫上孝宗皇帝書貶駮道學至謂今世之儒士以爲得正心誠意之學者皆風痺不知痛癢之人而其自跋中興論復言一日讀楊龜山語錄謂人住得然後可以有爲才智之士非有學力卻住不得不覺恍

然自失可見同甫之所駮者乃無實之人非龜山一流也

陳同甫文箴砭時弊指畫形勢自非細於用者之比如四上孝宗皇帝書及中興五論之類是也特其意思揮霍氣象張大若使身任其事恐不能耐煩持久試觀趙營平諸葛武侯之論事何嘗揮霍張大如此

陸象山文隱居通議稱其王荊公祠堂記又稱其與楊守書及與徐子宜侍郎書且各繫以評語余謂陸文得孟子之實不容意爲去取亦未易評評之須如其語錄中所謂從天而下從肝肺中流出是自家有底物事乃庶幾焉

後世學子書者不求諸本領專尚難字棘句此乃大誤欲爲此體須是神明過人窮極精奥斯能託寓萬物因淺見深非光不足而强照者所可與也唐宋以前葢難備論郁離子最爲晚出雖體不盡純意理頗有實用

儒學史學元學文學見宋書雷次宗傳大抵儒學本禮荀子是也史學本書與春秋馬遷是也元學本易莊子是也文學本詩屈原是也後世作者取塗弗越此矣

孔叢子宰我問君子尚辭乎孔子曰君子以理爲尚文中子曰言文而不及理是天下無文也昌黎雖嘗謂

辭不足不可以爲成文而必曰學所以爲道文所以爲理陸士衡文賦曰理扶質以立幹劉彥和文心雕龍曰精理爲文然則舍理而論文辭者奚取焉

文無論奇正皆取明理試觀文孰奇於莊子而陳君舉謂其憑虛而有理致況正於莊子者乎

明理之文大要有二曰闡前人所已發擴前人所未發

論事敘事皆以窮盡事理爲先事理盡後斯可再講筆法不然離有物以求有章曾足以適用而不朽乎

揚子法言曰事辭稱則經余謂不但事當稱乎辭而已義尤欲稱也觀孟子其事則齊桓晉文數語可見

言此事必深知此事到得事理曲盡則其文確鑿不可

磨滅如攷工記是也梁書蕭子雲傳載其著晉史至二王列傳欲作論草隸法不盡意遂不能成此亦見實事求是之意

易繫傳謂易其心而後語揚子雲謂言爲心聲可知言語亦心學也況文之爲物尤言語之精者乎

志者文之總持文不同而志則一猶鼓琴者聲雖改而操不變也善夫陶淵明之言曰常著文章自娛頗示己志

或問淵明所謂示己志者己志其有以別於人乎曰只是稱心而言耳使必以異人爲尚豈天下之大千古之遠絕無同己者哉

聖人之情見乎辭爲作易言也作者情生文斯讀者文生情易敎之神神以此也使情不稱文豈惟人之難感在己先不誠無物矣

文賦意司契而爲匠文之宜尙意明矣推而上之聖人書不盡言言不盡意正以意之無窮也

莊子曰語之所貴者意也意有所施意之所隨者不可以言傳也而世因貴言傳書是知意之所以貴者非徒然也爲文者苟不知貴意何論意之所隨者乎

文以識爲主認題立意非識之高卓精審無以中要才學識三長識爲尤重豈獨作史然耶

出辭氣斯遠鄙倍矣此以氣論辭之始至昌黎與李翊

書柳州與韋中立書皆論及於氣而韓以氣歸之於養立言較有本原

自典論論文以及韓柳俱重一氣字余謂文氣當如樂記二語曰剛氣不怒柔氣不懾

文貴備四時之氣然氣之純駁厚薄尤須審辨

韓昌黎送陳秀才彤序云文所以為理耳答李翊書云氣水也言浮物也水大而物之浮者大小畢浮氣盛則言之短長與聲之高下者皆宜周益公序宋文鑑曰臣聞文之盛衰主乎氣辭之工拙存乎理昔者帝王之世人有所養而教無異習故其氣之盛也如水載物小大無不浮其理之明也如燭照物幽隱無不

通意蓋悉本昌黎

文要與元氣相合戒與盡氣相尋翕聚償張其大較矣

孔叢子曰平原君謂公孫龍曰公無復與孔子高辯事也其人理勝於辭公辭勝於理揚子曰事辭稱則經韓昌黎則曰辭不足不可以爲成文此辭字大抵已包理事於其中不然得無如荀子所謂惠子蔽於辭而不知實者乎

辭之患不外過與不及易繫傳曰其辭文無不及也曲禮曰不辭費無太過也

文中用字在當不在奇如宋子京好用奇字亦一癖也

文辭也質亦辭也博辭也約亦辭也質其如易所謂正

言斷辭乎約其如書所謂辭尚體要乎

言辭者必兼及音節音節不外諧與拗淺者但知諧之是取不知當拗而拗拗亦諧也不當諧而諧諧亦拗也

書法二字見左傳爲文家言法之始莊子寓言篇曰言而當法晁公武稱陳壽三國志高簡有法韓昌黎謂經承子厚口講指畫爲文辭者悉有法度可觀歐陽永叔稱尹師魯爲文章簡而有法具見法之宜講

通其變遂成天地之文一闔一闢謂之變然則文法之變可知已矣

兵形象水文脈亦然水之發源波瀾歸宿所以示文之

始中終不已備乎

揭全文之指或在篇首或在篇中或在篇末在篇首則後必顧之在篇末則前必注之在篇中則前注之後顧之顧注抑所謂文眼者也

作短篇之法不外婉而成章作長篇之法不外盡而不汙

文心雕龍謂貫一爲拯亂之藥余謂貫一尤以泯形迹爲尙唐僧皎然論詩所謂抛鍼擲綫也

章法不難於續而難於斷先秦文善斷所以高不易攀然抛鍼擲綫全靠眼光不走注坡驀澗全仗韁轡在手明斷正取暗續也

文章之道斡旋驅遣全仗乎筆筆爲性情墨爲形質使
墨之從筆如雲濤之從風斯無施不可矣

一語爲千萬語所託命是爲筆頭上擔得千鈞然此一
語正不在大聲以色蓋徃徃有以輕運重者

客筆主意主筆客意如史記魏世家贊昌黎送董邵南
遊河北序皆是此訣

義法居文之大要史記十二諸侯年表序稱孔子次春
秋約其辭文去其煩重以制義法此言義法之始也

長於理則言有物長於法則言有序治文者矜言物序
何不實於理法求之

文之尙理法者不大勝亦不大敗尙才氣者非大勝則

大敗觀漢程不識李廣唐李勣薛萬徹之爲將可見

東坡進呈陸宣公奏議劄子云藥雖進於醫手方多傳於古人上神宗皇帝書云大抵事若可行不必皆有故事蓋法高於意則用法意高於法則用意用意正其神明於法也文章一道何獨不然

敘事之學須貫六經九流之旨敘事之筆須備五行四時之氣維其有之是以似之弗可易矣

大書特書牽連得書敘事本此二法便可推擴不窮

敘事有寓理有寓情有寓氣有寓識無寓則如偶人矣

敘事有主意如傳之有經也主意定則先此者爲先經後此者爲後經依此者爲依經錯此者爲錯經

敘事有特敘有類敘有正敘有帶敘有實敘有借敘有詳敘有約敘有順敘有倒敘有連敘有截敘有豫敘有補敘有跨敘有插敘有原敘有推敘種種不同惟能綫索在手則錯綜變化惟吾所施

敘事要有尺寸有斤兩有剪裁有位置有精神

論事調諧敘事調澀左氏每成片引人言是以論入敘故覺諧多澀少也

史莫要於表微無論紀事纂言其中皆須有表微意在

爲人作傳必人己之間同弗是異弗非方能持理之平而施之不枉其實

傳中敘事或敘其有致此之由而果若此或敘其無致

此之由而竟若此大要合其人之志行與時位而稱量以出之

劉彥和謂羣論立名始於論語不引周官論道經邦一語後世誚之其實過矣周官雖有論道之文然其所論者未詳論語之言則原委具在然則論非論語奚法乎

論不可使辭勝於理辭勝理則以反人爲實以勝人爲名弊且不可勝言也文心雕龍論說篇解論字有倫理有無及彌綸羣言研精一理之說得之矣

有儁傑之論有儒生俗士之論利弊明而是非審其斯爲儁傑也與

論之失或在失出或在失入失出視失入其猶愈乎

法以去弊亦易生弊立論之當愼與立法同

論是非所以定從違也從違不可苟是非可少紊乎

人多事多難徧論借一論之一索引千鈞是何關係

文賦云論精微而朗暢精微以意言朗暢以辭言精微者不惟其難惟其是朗暢者不惟其易惟其達

論不貴强下斷語葢有置此舉彼從容敘述而本事之理已曲到無遺者

莊子曰六合之外聖人存而不論六合之內聖人論而不議春秋經世先王之志聖人議而不辯余謂有不論不議不辯論議辯斯當矣

敘事要有法然無識則法亦虛論事要有識然無法則識亦晦

文有辭命一體命與辭非出於一人也古行人奉使受命不受辭觀展喜犒師公使受命於展禽可見矣若出於一人而亦曰辭命則以主意爲命以達其意者爲辭義亦可通

辭命之旨在忠告其用卻全在善道奉使受命不受辭蓋因時適變自有許多衡量在也

辭命亦祇敘事議論二者而已觀左傳中辭命可見

辭命體推之即可爲一切應用之文應用文有上行有平行有下行重其辭乃所以重其實也

陳壽上故蜀丞相諸葛亮故事曰臯陶之謨略而雅周公之誥煩而悉何則臯陶與舜禹共談周公與羣下矢誓故也晉書李密傳中語略與之同辭命各有所宜可由是意推之

文之要本領氣象而已本領欲其大而深氣象欲其純而懿

老子曰言有宗墨子曰立辭而不明於其類則必困矣宗類二字於文之體用包括殆盡

文固要句句字字受命於主腦而主腦有純駁平陂高下之不同若非慎辨而去取之則差若毫釐繆以千里矣

文之所尚不外當無者盡無當有者盡有故昌黎答李翊書云惟陳言之務去樊紹述墓誌銘云其富若生蓄萬物必具柳州愚溪詩序云漱滌萬物牢籠百態

文有以不言言者春秋有書有不書書之事顯不書之意微矣

文有寫處有做處入皆云云者謂之寫我獨云云者謂之做左傳史記兼用之

乍見道理之入言多理障乍見故典之入言多事障故艱深正是淺陋繁博正是寒儉文家方以此自足而夸世何耶

白賁占於賁之上爻乃知品居極上之文只是本色

君子之文無欲小人之文多欲多欲者美勝信無欲者
信勝美

文尚華者日落尚實者日茂其類在色老而衰智老而
多矣

文有古近之分大抵古樸而近華古拙而近巧古信己
心而近取世譽不是作散體便可名古文也

文有三古作古之言近於易則古之言近於禮洽古之
言近於春秋

文貴法古然患先有一古字橫在胸中蓋文惟其是惟
其眞舍是與眞而於形模求古所貴於古者果如是
乎

文有七戒曰旨戒雜氣戒破局戒亂語戒習字戒僻詳略戒失宜是非戒失實

文心雕龍以隱秀二字論文推闡甚精其云晦塞非隱雕削非秀更爲善防流弊

言外無窮者茂也言內畢足者密也漢文茂如西京密如東京

多用事與不用事各有其弊善文者滿紙用事未嘗不空諸所有滿紙不用事未嘗不包諸所有

善書者點畫微而意態自足點畫大而氣體不累文之沈著飄逸當準是觀之

治勝亂至治勝治至治之氣象皥皥而已文或秩然有

條而轍迹未泯更當躋而上之
誦述古義箴砭末俗文之正變即二者可以別之
文有四時莊子獨寐寤言時也孟子嚮明而治時也離騷風雨如晦時也國策飲食有訟時也
文有仰視有俯視有平視仰視者其言恭俯視者其言慈平視者其言直
文有本位孟子於本位毅然不避至昌黎則漸避本位矣永叔則避之更甚矣凡避本位易窈眇亦易選懦
文至永叔以後方以避本位爲獨得之傳蓋亦頗矣
文之道可約舉經語以明之曰辭達而已矣脩辭立其誠言近而指遠辭尚體要乃言厎可績非先王之法

言不敢言易其心而後語
文家得力處人不能識如東坡表忠觀碑王荆公問坐客畢竟似子長何語坐客悚然是也用力處人不能解如歐陽公欲作文先誦史記日者傳是也
易繫傳物相雜故曰文國語物一無文徐鍇說文通論强弱相成剛柔相形故於文人乂爲文朱子語錄兩物相對待故有文若相離去便不成文矣爲文者盍思文之所由生乎
左傳言之無文行而不遠後人每不解何以謂之無文不若仍用外傳作註曰物一無文
國語言物一無文後人更當知物無一則無文蓋一乃

文之真等必有一在其中斯能用夫不一者也

古人或名文曰筆梁書庾肩吾傳太子與湘東王書曰謝朓沈約之詩任昉陸倕之筆筆對詩言者蓋言志之謂詩述事之謂筆也其實筆本對口談而言晉書樂廣傳廣善清言而不長於筆將讓尹請潘岳為表岳曰當得君意廣乃作二百句語述已之志岳因取次比便成名筆時人咸云若廣不假岳之筆岳不取廣之旨無以成斯美也昌黎亦云不惟舉之於其口而又筆之於其書觀此而筆之所以命名者見矣然昌黎於筆多稱文如謂漢朝人莫不能為文獨司馬相如太史公劉向揚雄為之最是也

藝窠卷一終

藝槩卷二

興化　劉熙載　融齋

詩槩

詩緯含神霧曰詩者天地之心文中子曰詩者民之性情也此可見詩爲天人之合

詩言志孟子文辭志之說所本也思無邪子夏詩序發乎情止乎禮義之說所本也

關雎取摯而有別鹿鳴取食則相呼凡詩能得此旨皆應乎風雅者也

詩序風風也風以動之可知風之義至微至遠矣觀二南詠歌文王之化辭意之微遠何如

變風始柏舟柏舟與離騷同旨讀之當兼得其人之志與遇焉

大雅之變具憂世之懷小雅之變多憂生之意

頌固以美盛德之形容然必原其所以至之之由以寓勸勉後人之意則義亦通於雅矣

雅頌相通如頌閔予小子訪落敬之小毖近雅雅生民篤公劉近頌

穆如清風肅雝和鳴雅頌之懿兩言可蔽

詩序正義云比與興雖同是附託外物比顯而興隱當先顯後隱故比居先也毛傳特言興也爲其理隱故也案文心雕龍比興篇云毛公述傳獨標興體豈不

以風異而賦同比顯而興隱哉正義蓋本於此
取象曰比取義曰興語出皎然詩式卽劉彥和所謂比
顯興隱之意

詩自樂是一種衡門之下是也自勵是一種坎坎伐檀
兮是也自傷是一種出自北門是也自譽自嘲是一
種簡兮簡兮是也自警是一種抑抑威儀是也

心之憂矣其誰知之此詩人之憂過人也獨寐寤言永
矢弗告此詩人之樂過人也憂世樂天固當如是

皎皎白駒在彼空谷出乎外也我任我輦我車我牛入
乎中也雝雝鳴雁旭日始旦宜其始也風雨如晦雞
鳴不已持其終也

眞西山文章正宗綱目云三百五篇之詩其正言義理者葢無幾而諷詠之間悠然得其性情之正卽所謂義理也余謂詩或寓義於情而義愈至或寓情於景而情愈深此亦三百五篇之遺意也

詩喻物情之微者近風明人治之大者近雅通天地鬼神之奧者近頌

離騷淮南王比之國風小雅朱子楚辭集註謂其語祀神之盛幾乎頌李太白古風云正聲何微茫哀怨起騷人葢有詩亡春秋作之意非抑騷也

劉勰辯騷謂楚辭體慢於三代風雅於戰國顧論其體不如論其志志苟可質諸三代雖謂易地則皆然可

耳

漢武帝秋風辭風也瓠子歌雅也瓠子歌憂民之思足繼雲漢文中子何但以秋風爲悔志之萌耶

武帝秋風辭瓠子歌柏梁與羣臣賦詩後世得其一體皆足成一大宗而帝之爲大宗不待言矣

或問安世房中歌與孝武郊祀諸歌孰爲奇正曰房中正之正也郊祀奇而正也

漢郊祀諸樂府以樂而象禮者也所以典碩肅穆視他樂府別爲一格

秦碑有韻之文質而勁漢樂府典而厚如商周二頌氣體攸別

質而文直而婉雅之善也漢詩風與頌多而雅少雅之義非韋傳諷諫其孰存之

李陵贈蘇武五言但叙別愁無一語及於事實而言外無窮使人黯然不可爲懷至徑萬里兮度沙幕一歌意味頗淺而漢書蘇武傳載之以爲陵作其果然乎

古詩十九首與蘇李同一悲慨然古詩兼有豪放曠達之意與蘇李之一於委曲含蓄有陽舒陰慘之不同知人論世者自能得諸言外固不必如鍾嶸詩品謂古詩出於國風李陵出於楚辭也

十九首鑿空亂道讀之自覺四顧躊躇百端交集詩至此始可謂其中有物也已

曹公詩氣雄力堅足以籠罩一切建安諸子未有其匹也子建則隱有仁義之人其言藹如之意鍾嶸品詩不以古直悲涼加於人倫周孔之上豈無見乎

曹子建贈丁儀王粲有云歡怨非貞則中和誠可經此意足推風雅正宗至骨氣情釆則鍾仲偉論之備矣

公幹氣勝仲宣情勝皆有陳思之一體後世詩率不越此兩宗

陸士衡詩粗枝大葉有失出無失入平實處不妨屢見正其無人之見存所以獨到處亦躋卓絕豈如沾沾戋戋者才出一言便欲人道好耶

劉彥和謂士衡矜重而近世論陸詩者或以累句訾之

然有累句無輕句便是大家品位

士衡樂府金石之音風雲之氣能令讀者驚心動魄雖子建諸樂府且不得專美於前他何論焉

阮嗣宗詠懷其旨固爲淵遠其屬辭之妙去來無端不可蹤迹後來如射洪感遇太白古風猶瞻望弗及矣

叔夜之詩峻烈嗣宗之詩曠逸夷齊不降不辱虞仲夷逸隱居放言趣尚乃自古別矣

野者詩之美也故表聖詩品中有疏野一品若鍾仲偉謂左太沖野於陸機野乃不美之辭然太沖是豪放非野也觀詠史可見

張景陽詩開鮑明遠明遠遒警絕人然練不傷氣必推

景陽獨步苦雨諸詩尤爲高作故鍾嶸詩品獨稱之文心雕龍明詩云景陽振其麗麗何足以盡景陽哉

劉公幹左太沖詩壯而不悲王仲宣潘安仁悲而不壯兼悲壯者其惟劉越石乎

孔北海雜詩呂望老匹夫管仲小囚臣劉越石重贈盧諶詩惟彼太公望昔在渭濱叟又稱小白相射鉤於漢於晉興復之志同也北海言人生有何常但患年歲暮越石言時哉不我與去乎若雲浮其欲及時之志亦同也鍾嶸謂越石詩出於王粲以格言耳

劉越石詩定亂扶衰之志郭景純詩除殘去穢之情第以清剛儁上目之殆猶未覘厥蘊

嵇叔夜郭景純皆亮節之士雖秋胡行貴元默之致游仙詩假棲遯之言而激烈悲憤自在言外乃知識曲宜聽其眞也

曹子建王仲宣之詩出於騷阮步兵出於莊陶淵明則大要出於論語

陶詩有賢哉囘也吾與點也之意直可嗣洙泗遺音其貴尙節義如詠荆卿美田子泰等作則亦孔子賢夷齊之志也

陶詩吾亦愛吾廬我亦具物之情也艮苗亦懷新物亦具我之情也歸去來辭亦云善萬物之得時感吾生之行休

陶詩云願言躡清風高舉尋吾契又云即事如已高何必升華嵩可見其玩心高明未嘗不腳踏實地不是倜然無所歸宿也

鍾嶸詩品謂阮籍詠懷之作言在耳目之內情寄八荒之表余謂淵明讀山海經言在八荒之表而情甚親切尤詩之深致也

詩可數年不作不可一作不眞陶淵明自庚子距丙辰十七年間作詩九首其詩之眞更須問耶彼無歲無詩乃至無日無詩者意欲何明

謝才顏學謝奇顏法陶則兼而有之大而化之故其品爲尤上

陶謝用理語各有勝境鍾嶸詩品稱孫綽許詢桓庾諸公詩皆平典似道德論此由乏理趣耳夫豈尙理之過哉

謝客詩刻畫微眇其造語似子處不用力而功益奇在詩家爲獨闢之境

康樂詩較顏爲放手較陶爲刻意鍊句用字在生熟深淺之間

沈約宋書謝靈運傳論謂靈運興會標舉延年體裁明密所以示學兩家者當相濟有功不必如惠休上人好分優劣

顏延年詩體近方幅然不失爲正軌以其字字稱量而

出無一苟下也文中子稱之曰其文約以則有君子
之心葢有以觀其深矣
延年詩長於廊廟之體然如五君詠抑何善言林下風
也所蘊之富亦可見矣
左太冲詠史似論體顏延年五君詠似傳體
韋傳諷諫詩經家之言阮嗣宗詠懷子家之言顏延年
五君詠史家之言張景陽雜詩辭家之言
孤蓬自振驚沙坐飛此鮑明遠賦句也若移以評明遠
之詩頗復相似
明遠長句慷慨任氣磊落使才在當時不可無一不能
有二杜少陵贈薛華醉歌云近來海内爲長句汝與

山東李白好何劉沈謝力未工才兼鮑照愁絕倒此雖意重推薛然亦見鮑之長句何劉沈謝均莫及也

陳孔璋飲馬長城窟機軸開鮑明遠惟陳純乎質而鮑濟以姸所以涉其流者忘其發源所自

謝元暉詩以情韻勝雖才力不及明遠而語皆自然流出同時亦未有其比

江文通詩有淒涼日暮不可如何之意此詩之多情而入之不濟也雖長於雜擬於古人蒼壯之作亦能肖吻究非其本色耳

庾子山燕歌行開唐初七古烏夜啼開唐七律其他體爲唐五絕五律五排所本者尤不可勝舉

隋楊處道詩甚爲雄深雅健齊梁文辭之弊貴清綺不
重氣質得此可以矯之

唐初四子源出子山觀少陵戲爲六絶句專論四子而
第一首起句便云庾信文章老更成有意無意之間
驪珠巳得

唐初四子沿陳隋之舊故雖才力迥絶不免致人異議
陳射洪張曲江獨能超出一格爲李杜開先人文所
肇豈天運使然耶

曲江之感遇出於騷射洪之感遇出於莊纏緜超曠各
有獨至

太白詩以莊騷爲大源而於嗣宗之淵放景純之儁上

明遠之驅邁元暉之奇秀亦各有所取無遺美焉

宣和書譜稱賀知章草隸佳處機會與造化爭衡非人工可到余謂太白詩佳處亦如之

太白詩舉止極其高貴不下商山采芝人語

海上三山方以爲近忽又是遠太白詩言在口頭想出天外殆亦如是

李詩鑿空而道歸趣難窮由風多於雅興多於賦也

有時白雲起天際自舒卷卻顧所來徑蒼蒼橫翠微卽此四語想見太白詩境

太白與少陵同一志在經世而太白詩中多出世語者有爲言之也屈子遠遊曰悲時俗之迫阨兮願輕舉

而遠遊使疑太白誠欲出世亦將疑屈子誠欲輕舉耶

太白云日爲蒼生憂卽少陵窮年憂黎元之志也天地至廣大何惜遂物情卽少陵盤飧老夫食分減及溪魚之志也

太白詩雖若昇天乘雲無所不之然自不離本位故放言實是法言非李赤之徒所能託也

幕天席地友月交風原是平常過活非廣己造大也太白詩當以此意讀之

以友天下之善士爲未足又尚論古之人神仙猶古之人耳故知太白詩好言神仙祇是將神仙當賢友初

非鄙薄當世也

太白詩言俠言仙言女言酒特借用樂府形體耳讀者或認作眞身豈非皮相

學太白詩當學其體氣高妙不當襲其陳意若言仙言酒言俠言女亦要學之此僧皎然所謂鈍賊者也

學太白者常曰天然去雕飾足矣余曰此得手處非下手處也必取太白句意以爲祈嚮盡云獵微窮至精乎

杜詩高大深俱不可及吐棄到人所不能吐棄爲高涵茹到人所不能涵茹爲大曲折到人所不能曲折爲深

不敢要佳句愁來賦別離二句是杜詩全旨凡其云念闕勞肝肺弟妹悲歌裏窮年憂黎元無非離愁而已矣

頌其詩貴知其人先儒謂杜子美情多得志必能濟物可爲看詩之法

太白早好縱橫晚學黄老故詩意每託之以自娛少陵一生卻只在儒家界內

杜詩云畏人嫌我真又云直取性情真一自詠一贈人皆於論詩無與然其詩之所尚可知

杜詩只有無二字足以評之有者但見性情氣骨也無者不見語言文字也

杜陵云篇終接混茫夫篇終而接混茫則全詩亦可知矣且有混茫之人而後有混茫之詩故莊子云古之人在混茫之中

意欲洗著格欲高古持此以等百家之詩於杜陵乃無遺憾

少陵云詩清立意新又云賦詩分氣象作者本取意與氣象相兼而學者往往奉一以爲宗派焉

杜陵五七古敘事節次波瀾離合斷續從史記得來而蒼莽雄直之氣亦逼近之畢仲游但謂杜甫似司馬遷而不繫一辭正欲使人自得耳

細筋入骨如秋鷹字外出力中藏稜史記杜詩其有焉

近體氣格高古尤難此少陵五排五七律所以品居最
上
少陵以前律詩枝枝節節爲之氣斷意促前後或不相
管攝實由於古體未深耳少陵深於古體運古於律
所以開闔變化施無不宜
杜詩有不可解及看不出好處之句文章千古事得失
寸心知少陵嘗自言之作者本不求知讀者非身當
其境亦何容強臆耶
昌黎鍊質少陵鍊神昌黎無疎落處而少陵有之然天
下之至密莫少陵若也
少陵於鮑庾陰何樂推不厭昌黎云齊梁及陳隋衆作

等蟬噪韓之論高而疎不若杜之大而實也

論李杜詩者謂太白志存復古少陵獨開生面少陵思精太白韻高然眞賞之士尤當有以觀其合焉

王右丞詩一種近孟襄陽一種近李東川淸高名雋各有宜也

王摩詰詩好處在無世俗之病世俗之病如恃才騁學做身分好攀引皆是

劉文房詩以研鍊字句見長而淸贍閑雅蹈乎大方其篇章亦儘有法度所以能斷截晚唐家數

高適詩兩唐書本傳並稱其以氣質自高今卽以七古論之體或近似唐初而魄力雄毅自不可及

高常侍岑嘉州兩家詩皆可亞匹杜陵至岑超高實則趣尚各有近焉

元道州著書有惡圓惡曲等篇其詩亦一肚皮不合時宜然剛者必仁此公足以當之

孔門如用詩則於元道州必有取焉可由思狂狷知之獨挺於流俗之中强攘於已溺之後元次山以此序沈千運詩亦以自寓也

次山詩令人想見立意較然不欺其志其疾官邪輕爵祿意皆起於惻怛爲民不獨舂陵行及賊退示官吏作足使杜陵感喟也

元韋兩家皆學陶然蘇州猶多一慕陶直可庶之意吾

尤愛衣山以不必似爲眞似也

韋蘇州憂民之意如元道州試觀高陵書情云兵凶久相踐徭賦豈得閑促戚下可哀寬政身致患日夕思自退出門望故山此可與春陵行賊退示官吏作並讀但氣別婉勁耳

錢仲文郎君胄大率衍王孟之緒但王孟之渾成却非錢郎所及

王孟及大歷十子詩皆尙淸雅惟格止於此而不能變故猶未足籠罩一切

詩文一源昌黎詩有正有奇正者即所謂約六經之旨而成文奇者即所謂時有感激怨懟奇怪之辭

昌黎贈張籍云此日足可惜此酒不足嘗儒者之言所
由與任達者異

太白詩多有羨於神仙者或以喻超世之志或以喻死
而不亡俱不可知若昌黎云安能從汝巢神山此固
鄙夷不屑之意然亦何必非寓言耶

昌黎詩陳言務去故有倚天拔地之意山石一作辭奇
意幽可爲楚辭招隱士對如柳州天對例也

昌黎七古出於招隱士當於意思刻畫音節遒勁處求
之使第謂出於柏梁猶未之盡

若使乘酣騁雄怪此昌黎酬盧雲夫望秋作之句也統
觀昌黎詩頗以雄怪自喜

昌黎詩往往以醜爲美然此但宜施之古體若用之近
體則不受矣是以言各有當也
昌黎自言其行已不敢有愧於道余謂其取友亦然觀
其寄盧仝云先生事業不可量惟用法律自繩已薦
孟郊云行身踐規矩甘辱恥媚竈以盧孟之詩名而
韓所盛推乃在人品寘千古論詩之極則也哉
昌黎送孟東野序稱其詩以附於古之作者薦士詩以
橫空盤硬語妥帖力排奡目之又醉贈張祕書云東
野動驚俗天葩吐奇芬韓之推孟也至矣後人尊韓
抑孟恐非韓意
昌黎東野兩家詩雖雄富清苦不同而同一好難爭險

惟中有質實深固者存故較李長吉爲老成家數
孟東野詩好處黃山谷得之無一輭熟句梅聖俞得之
無一熟俗句
陶謝並稱韋柳並稱蘇州出於淵明柳州出於康樂殆
各得其性之所近
韋云微雨夜來過不知春草生是道人語柳云迴風一
蕭瑟林影久參差是騷人語
劉夢得詩稍近徑露大抵骨勝於白而韻遜於柳要其
名雋獨得之句柳亦不能掩也
尊老杜者病香山謂其拙於紀事寸步不移猶恐失之
不及杜之注坡蘄澗似也至唐書白居易傳贊引杜

牧語謂其詩纖豔不逞非莊士雅人所爲流傳人間交口教授入人肌骨不可去此文人相輕之言未免失實

白香山與元微之書曰僕志在兼濟行在獨善奉而始終之則爲道言而發明之則爲詩謂之諷諭詩兼濟之志也謂之閒適詩獨善之義也余謂詩莫貴於知道觀香山之言可見其或出或處道無不在

代匹夫匹婦語最難蓋飢寒勞困之苦雖告人人且不知知之必物我無閒者也杜少陵元次山白香山不但如身入閭閻目擊其事直與疾病之在身者無異頌其詩顧可不知其人乎

常語易奇語難此詩之初關也奇語易常語難此詩之
重關也香山用常得奇此境良非易到
白香山樂府與張文昌王仲初同爲自出新意其不同
者在此平曠而彼峭窄耳
杜樊川詩雄姿英發李樊南詩深情緜邈其後李成宗
派而杜不成殆以杜之較無窠臼與
詩有借色而無眞色雖藻繢實死灰耳李義山卻是絢
中有素敖器之謂其綺密瓌妍要非適用豈盡然哉
至或因其韓碑一篇遂疑氣骨與退之無二則又非
其質矣
宋王元之詩自謂樂天後進楊大年劉子儀學義山爲

西崑體格雖不高五代以來未能有其安雅

東坡謂歐陽公論大道似韓愈詩賦似李白然試以歐詩觀之雖曰似李其刻意形容處實於韓爲逼近耳

歐陽永叔出於昌黎梅聖俞出於東野歐之推梅不遺餘力與昌黎推東野略同

聖俞詩深微難識即觀歐陽公云知聖俞者莫如修常問聖俞生平所最好句聖俞所自負者皆修所不好聖俞所卑下者皆修所極賞是其苦心孤詣且不欲徇非常人之意況肯徇常人意乎

梅蘇並稱梅詩幽淡極矣然幽中有雋淡中有旨子美雄快令人見便擊節然雄快不足以盡蘇猶幽淡不

足以盡梅也

王荊公詩學杜得其瘦硬然杜具熱腸公惟冷面殆亦如其文之學韓同而未嘗不異也

東坡詩打通後壁說話其精微超曠真足以開拓心胸推倒豪傑

東坡詩推倒扶起無施不可得訣只在能透過一層及善用翻案耳

東坡詩善於空諸所有又善於無中生有機括實自禪悟中來以辯才三昧而爲韻言固宜其舌底瀾翻如是

滔滔汩汩說去一轉便見主意南華華嚴最長於此東

坡古詩慣用其法

陶詩醇厚東坡和之以淸勁如宮商之奏各自爲宮其美正復不相掩也

東坡題與可畫竹云無窮出淸新余謂此句可爲坡詩評語豈偶借與可以自寓耶杜於李亦以淸新相目詩家淸新二字均非易得元遺山於坡詩何乃以新譏之

東坡放翁兩家詩皆有豪有曠但放翁是有意要做詩人東坡雖爲詩而仍有夷然不屑之意所以尤高

退之詩豪多於曠東坡詩曠多於豪豪曠非中和之則然賢者亦多出入於其中以其與齪齪之腸胃固遠

絕也

遇他人以爲極艱極苦之境而能外形骸以理自勝此韓蘇兩家詩意所同

東坡詩意頹放而語遒警頹放過於太白遒警亞於昌黎

太白長於風少陵長於骨昌黎長於質東坡長於趣

詩以出於騷者爲正以出於莊者爲變少陵純乎騷太白在莊騷間東坡則出於莊者十之八九

山谷詩未能若東坡之行所無事然能於詩家因襲語漱滌務盡以歸獨得乃如潦水盡而寒潭淸矣

山谷詩取過火一路妙能出之以深雋所以露中有含

透中有皺令人一見可喜久讀愈有致也

無一意一事不可入詩者唐則子美宋則蘇黃要其胸中具有鑪錘不是金銀銅鐵强令混合也

唐詩以情韻氣格勝宋蘇黃皆以意勝惟彼胸襟與手法俱高故不以精能傷渾雅焉

陳言務去杜詩與韓文同黃山谷陳后山諸公學杜在此

杜詩雄健而兼虛渾宋西江名家學杜幾於瘦硬通神然於水深林茂之氣象則遠矣

西崑體貴富實貴清襞積非所尚也西江體貴清實貴富寒寂非所尚也

西崑體所以未入杜陵之室者由文滅其質也質文不可偏勝西江之矯西崑淺而愈甚宜乎復詒口實與

西江名家好處在鍛鍊而歸於自然放翁本學西江者其云文章本天成妙手偶得之平昔鍛鍊之功可於言外想見

放翁詩明白如話然淺中有深平中有奇故足令人咀味觀其齋中弄筆詩云詩雖苦思未名家雖自謙實自命也

詩能於易處見工便覺親切有味白香山陸放翁擅場在此

朱子感興詩二十篇高峻寥曠不在陳射洪下蓋惟有

理趣而無理障是以至爲難得

嬰孩始言唯俞而已漸乃由一字以至多字字少者含蓄字多者發揚也是則五言七言消息自有別矣

五言如三百篇七言如騷騷雖出於三百篇而境界一新蓋醇實瓌奇分數較有多寡也

五言質七言文五言親七言尊幾見田家詩而多作七言者乎幾見骨肉間而多作七言者乎

五言與七言因乎情境如孺子歌滄浪之水清兮平澹天眞於五言宜甯戚歌滄浪之水白石粲豪蕩感激於七言宜

五言尚安恬七言尚揮霍安恬者前莫如陶靖節後莫

如韋左司擅霍者前莫如鮑明遠後莫如李太白

五言要如山立時行七言要如鼙鼓軒舞

五言無閒字易有餘味難七言有餘味易無閒字難

七言於五言或較易亦或較難或較便亦或較累蓋善爲者如多兩人任事不善爲者如多兩人坐食也

或謂七言如挽强用長余謂更當挽强如弱用長如短方見能事

潘邠老謂七言詩第五字要響如返照入江翻石壁歸雲擁樹失山村翻字失字五言詩第三字要響如圓荷浮小葉細麥落輕花浮字落字余謂此例何可盡拘但論句中自然之節奏則七言可以上四字作一

頓五言可以上二字作一頓耳
五言上二字下三字足當四言兩句如終日不成章之於終日七襄不成報章是也七言上四字下三字足當五言兩句如明月皎皎照我牀之於明月何皎皎照我羅牀幃是也是則五言乃四言之約七言乃五言之約矣太白嘗有寄興深微五言不如四言七言又其靡也之說此特意在尊古耳豈可不達其意而誤增閑字以爲五七哉
詩有合兩句成七言者如君子有酒旨且多夜如何其夜未央是也有合兩句成五言者如祈父亶不聰是也後世七言每四字作一頓五言每兩字作一頓而

五言亦或第三字屬上上下間皆可以兮字界之

七言講音節者出於漢郊祀諸樂府羅事實者出於柏梁詩

七言爲五言之慢聲而長短句互用者則以長句爲慢聲以短句爲急節此固不當與句句七言者並論也

五言第二字與第四字第三字與第五字七言第二字與第四字第四字與第六字第五字與第七字平仄相同則音拗異則音諧講古詩聲調者類多避諧而取拗然其間蓋有天籟不當止以能拗爲古

善古詩必屬雅材俗意俗字俗調苟犯其一皆古之棄也

凡詩不可以助長五古尤甚故詩不善於五古他體雖工弗尙也書譜云思慮通審志氣和平不激不厲而風規自遠爲五古者宜亦有取於斯言

七古可命爲古近二體近體曰駢曰諧曰麗曰緜古體曰單曰拗曰變曰勁一尙風容一尙筋骨此齊梁漢魏之分即初盛唐之所以別也

論詩者謂唐初七古氣格雖卑猶有樂府之意亦思樂府非此體所能盡乎豪傑之士爲得不更思進取

唐初七古節次多而情韻婉詠歎取之盛唐七古節次少而魄力雄鋪陳尙之

伏應轉接夾敘夾議開闔盡變古詩之法近體亦俱有

之惟古詩波瀾較爲壯闊耳

律與絕句行間字裏須有曖曖之致古體較可發揮盡意然亦須有不盡者存

律詩取律呂之義爲其和也取律令之義爲其嚴也

律詩要處處打得通又要處處跳得起草蛇灰綫生龍活虎兩般能事當以一手兼之

律詩主意拏得定則開闔變化惟我所爲少陵得力在此

律詩主句或在起或在結或在中而以在中爲較難益限於對偶非高手爲之必至物而不化矣

律詩聲諧語儷故往往易工而難化能求之章法不惟

於字句爭長則體雖近而氣脈入古矣

起有分合緩急收有虛實順逆對有反正平串接有遠近曲直欲窮律法之變必先於是求之

律詩旣患旁生枝節又患如琴瑟之專壹融貫變化兼之斯善

律詩篇法有上半篇開下半篇合有上半篇合下半篇開所謂半篇者非但上四句與下四句之謂卽二句與六句六句與二句亦各爲半篇也

律詩一聯中有以上下句論開合者一句中有以上下半句論開合者惟在相篇法而知所避就焉

律詩手寫此聯眼注彼聯自覺減少不得增多不得若

可增可減則於律字名義失之遠矣

律詩之妙全在無字處每上句與下句轉關接縫皆機竅所在也

律有似乎無起無收者要知無起者後必補起無收者前必豫收

律詩中二聯必分寬緊遠近人皆知之惟不省其來龍去脈則寬緊遠近爲妄施矣

律體中對句用開合流水倒挽三法不如用遮表法爲最多或前遮後表或前表後遮表謂如此遮謂不如彼二字本出禪家昔人詩中有用是非有無等字作對者是有卽表非無卽遮惟有其法而無其名故爲

拈出

律詩不難於凝重亦不難於流動難在又凝重又流動耳

律體可喻以僧家之律狂禪破律所宜深戒小禪縛律亦無取焉

絕句取徑貴深曲蓋意不可盡以不盡盡之正面不寫寫反面本面不寫寫對面旁面須如覩影知竿乃妙

絕句於六義多取風興故視他體尤以委曲含蓄自然爲尚

以鳥鳴春以蟲鳴秋此造物之借端託寓也絕句之小中見大似之

絕句意法無論先寬後緊先緊後寬總須首尾相銜開闔盡變至其妙用惟在借端託寓而已

詩以律絕爲近體此就聲音言之也其實古體與律絕俱有古近體之分此當於氣質辨之

古體勁而質近體婉而妍詩之常也論其變則古婉近勁古妍近質亦多有之

論古近體詩參用陸機文賦曰絕博約而溫潤律頓挫而淸壯五古平徹而閑雅七古煒煜而譎誑

樂之所起雷出地風過簫發於天籟無容心焉而樂府之所尚可知

文辭志合而爲詩而樂則重聲風雅頌之入樂者姑不

具論卽漢樂府飲馬長城窟之青青河畔草與古詩十九首之青青河畔草其音節可徵辨矣

九歌樂府之先聲也湘君湘夫人是南音河伯是北音卽設色選聲處可以辨之

楚辭大招云四上競氣極聲變只此卽古樂節之升歌笙入間歌合樂也屈子九歌全是此法樂府家轉韻轉意轉調無不以之

樂府聲律居最要而意境卽次之尤須意境與聲律相稱乃爲當行

樂府之出於頌者最重形容楚辭九歌狀所祀之神幾於恍惚有物矣後此如漢書所載郊祀諸歌其中亦

若有肸蠁之氣蒸蒸欲出

樂府有陳善納誨之意者雅之屬也如君子行便是

漢書藝文志云自孝武立樂府而采歌謠於是有代趙之謳秦楚之風皆感於哀樂緣事而發由是觀之後世樂府近風之體多於雅頌其由來亦已久矣

樂府是代字訣故須先得古人本意然使不能自寓懷抱又未免爲無病而呻吟

樂府易不得難不得深於此事者能使豪傑起舞愚夫愚婦解頤其神妙不可思議

樂府調有疾徐韻有疏數大抵徐疏在前疾數在後者常也若變者又當心知其意焉

古題樂府要超新題樂府要穩如太白可謂超香山可謂穩

雜言歌行音節似乎無定而實有不可易者存蓋歌行皆樂府支流樂不離乎本宮本宮之中又有自然先後也

賦不歌而誦樂府歌而不誦詩兼歌誦而以時出之

詩一種是歌君子作歌是也一種是誦吉甫作誦是也

楚辭有九歌與惜誦其音節可辨而知

九歌歌也九章誦也詩如少陵近九章太白近九歌

誦顯而歌微故長篇誦短篇歌敘事誦抒情歌

詩以意法勝者宜誦以聲情勝者宜歌古人之詩疑若

干支萬派，然曾有出於歌誦外者乎

文有文律，陸機文賦所謂普辭條與文律是也。杜詩云晚節漸於詩律細，使將詩律律字解作五律七律之律，則文律又何解乎？大抵只是以法爲律耳

詩之局勢，非前張後歛，則前歛後張，古體律絶無以異也

詩以離合爲跌宕，故莫善於用遠合近離。近離者，以離開上句之意爲接也。離後復轉而與未離之前相合，即遠合也

篇意前後摩盪，則精神自出。如豳風東山詩，種種景物，種種情思，其摩盪祇在徂歸二字耳

問短篇所尚曰咫尺應須論萬里問長篇所尚曰萬斛之舟行若風二句皆杜詩而杜之長短篇卽如之杜詩又云大城鐵不如小城萬丈餘其意亦可相通相足

長篇宜橫鋪不然則力單短篇宜紆折不然則味薄

大起大落大開大合用之長篇此如黃河之百里一曲千里一直也然卽短至絕句亦未嘗無尺水興波之法

長篇以敘事短篇以寫意七言以浩歌五言以穆誦此皆題實司之非人所能與

伏應提頓轉接藏見倒順綰插淺深離合諸法篇中段

中聯中句中均有取焉然非渾然無迹未善也
少陵寄高達夫詩云佳句法如何可見句之宜有法矣
然欲定句法其消息未有不從章法篇法來者
河水淸且漣閒關車之舝皆是五言且皆是上二字下
三字句法而意有順倒之不同
詩無論五七言及句法倒順總須將上半句與下半句
比權量力使足相當不然頭空足弱無一可者
鍊篇鍊章鍊句鍊字總之所貴乎鍊者是徃活處鍊非
徃死處鍊也夫活亦在乎認取詩眼而已
詩眼有全集之眼有一篇之眼有數句之眼有一句之
眼有以數句爲眼者有以一句爲眼者有以一二字

爲眼者

冷句中有熱字熱句中有冷字情句中有景字景句中有情字詩要細筋入骨必由善用此字得之

詩有雙關字有偏舉字如陶詩望雲慙高鳥臨水愧遊魚雲鳥水魚是偏舉高遊是雙關偏舉舉物也雙關關己也

問韻之相通與不相通以何爲憑曰憑古古通者吾亦通之毛詩楚辭漢魏六朝詩杜韓諸大家詩以及他古書中有韻之文皆其準驗也

辨得平聲韻之相通與不相通斯上聲去聲之通不通因之而定東冬江通則董腫講通矣送宋絳亦通矣

推之支微齊佳灰通則紙尾薺蟹賄通寘未霽泰卦隊通魚虞通則語麌通御遇通眞文元寒刪先通則軫吻阮旱潸銑通震問願翰諫霰通蕭肴豪通則篠巧皓通嘯效號通歌麻通則哿馬通箇禡通庚青蒸通則梗迥通敬徑通侵覃鹽咸通則寢感儉豏通沁勘豔陷通陽無通則養亦無通漾亦無通尤無通則有亦無通宥亦無通

入聲韻之通不通亦於平聲定之東冬江通則屋沃覺通眞文元寒刪先通則質物月曷黠屑通庚青蒸通則陌錫職通侵覃鹽咸通則緝合葉洽通陽無通則藥亦無通

論詩者或謂鍊格不如鍊意或謂鍊意不如鍊格惟姜白石詩說爲得之曰意出於格先得格也格出於意先得意也

文所不能言之意詩或能言之大抵文善醒詩善醉醉中語亦有醒時道不到者蓋其天機之發不可思議也故余論文旨曰惟此聖人瞻言百里論詩旨曰百爾所思不如我所之

詩之所貴於言志者須是以直溫寬栗爲本不然則其爲志也荒矣如樂記所謂喬志溺志是也

詩之言持莫先於內持其志而外持風化從之

古人因志而有詩後人先去作詩卻推究到詩不可以

徒作因將志入裏來已是倒做了況無與於志者乎

文心雕龍云嵇志清峻阮旨遙深鍾嶸詩品云郭景純用儁上之才劉越石仗清剛之氣余謂志旨才氣人占一字此特就其所尤重者言之其實此四字詩家不可缺一也

思無邪思字中境界無盡惟所歸則一耳嚴滄浪詩話謂信手拈來頭頭是道似有得於此意

雅人有深致風人騷人亦各有深致後人能有其致則風雅騷不必在古矣

昔我往矣楊柳依依今我來思雨雪霏霏雅人深致正在借景言情若舍景不言不過曰春往冬來耳有何

意味然黍稷方華雨雪載塗與此又似同而異須索
解人
夏侯湛作周詩成示潘安仁安仁曰此非徒溫雅乃別
見孝弟之性余謂孝弟之性乃其所以溫雅也二而
言之安仁於是爲不知詩矣
謝靈運詩事爲名教用道以神理超下句意須離不得
上句不然是名教外別有所謂神理矣
不發乎情即非禮義故詩要有樂有哀發乎情未必即
禮義故詩要哀樂中節
天之福人也莫過於予以性情之正人之自福也莫過
於正其性情從事於詩而有得則樂而不荒憂而不

因何福如之

景有大小情有久暫詩中言景旣患大小相混又患大小相隔言情亦如之

興與比有闊狹之分蓋比有正而無反興兼反正故也

昔人謂激昂之言出於興此興字與他處言興不同激昂大抵只是情過於事如太白詩欲上青天覽日月是也

山之精神寫不出以煙霞寫之春之精神寫不出以草樹寫之故詩無氣象則精神亦無所寓矣

詩格一爲品格之格如人之有智愚賢不肖也一爲格式之格如人之有貧富貴賤也

詩品出於人品人品悃款朴忠者最上超然高舉誅茅
力耕者次之送往勞來從俗富貴者無譏焉

言詩格者必及氣或疑太鍊傷氣非也傷氣者蓋鍊辭
不鍊氣耳

氣有清濁厚薄格有高低雅俗詩家泛言氣格未是

林艾軒謂蘇黃之別猶丈夫女子之應接丈夫見賓客
信步出將去如女子則非塗澤不可余謂此論未免
誣黃而易蘇然推以論一切之詩非獨女態當無雖
丈夫之貴賤賢愚亦大有辨矣

詩以悅人爲心與以夸人爲心品格何在而猶譊譊於
品格其何異溺人必笑耶

或問詩偏於敘則掩意偏於議則病格此說亦辨意格者所不遺否曰遺則不是孰則淺矣

其詩孔碩其風肆好後世爲詩者於碩好二字須善認使非眞碩必且迂非眞好必且靡也

詩不淸則蕪不穆則露穆如淸風宜吉甫合而言之

凡詩迷離者要不間切實者要不盡廣大者要不廓精微者要不僻

詩要避俗更要避熟剝去數層方下筆庶不墮熟字界裏

詩要超乎空欲二界空則入禪欲則入俗超之之道無他曰發乎情止乎禮義而已

或問詩何爲富貴氣象曰大抵富如昔人所謂函蓋乾坤貴如所謂截斷衆流便是

詩質要如銅牆鐵壁氣要如天風海濤

詩不可有我而無古更不可有古而無我典雅精神兼之斯善

鍾嶸謂阮步兵詩可以陶寫性靈此爲以性靈論詩者所本杜詩亦云陶冶性靈存底物新詩改罷自長吟元微之作杜工部墓誌深薄宋齊間吟寫性靈流連光景之文其實性靈光景自風雅肇興便不能離在辨其歸趣之正不正耳

詩涉脩飾便可憎鄙而脩飾多起於貌爲有學而不養

本體晉東海王越與阮瞻書曰學之所入淺體之所安深善夫

詩一往作遺世自樂語以爲仙意不知卻是仙障仙意須加陰長生古詩遊戲仙都顧愍羣愚二語庶爲得之抑度人經所謂悲歌朗太空也

詩一戒滯累塵腐一戒輕浮放浪凡出辭氣當遠鄙倍詩可知矣

詩中固須得微妙語然語語微妙便不微妙須是一路坦易中忽然觸著乃足令人神遠

花鳥纏緜雲雷奮發絃泉幽咽雪月空明詩不出此四境

詩嚶嚶草蟲聞而知也趯趯阜螽見而知也有車鄰鄰知而聞也有馬白顛知而見也詩有外於知與聞見者耶

清風明月不用一錢買上四字共知也下五字獨得也凡佳章中必有獨得之句佳句中必有獨得之字惟在首在腰在足則不必同

曲徑通幽處禪房花木深六一賞之四更山吐月殘夜水明樓東坡賞之此等處古人自會心有在後人或强解之或故疑之皆過矣

藝槩卷二終

藝槩卷三

興化　劉熙載　融齋

賦槩

班固言賦者古詩之流其作漢書藝文志論孫卿屈原賦有惻隱古詩之義劉勰詮賦謂賦爲六義附庸可知六義不備非詩卽非賦也

賦古詩之流古詩如風雅頌是也卽離騷出於國風小雅可見

言情之賦本於風陳義之賦本於雅述德之賦本於頌李仲蒙謂敘物以言情謂之賦索物以託情謂之比觸物以起情謂之興此明賦比興之別也然賦中未嘗

不兼具比興之意

詩爲賦心賦爲詩體詩言持賦言鋪持約而鋪博也古詩人本合二義爲一至西漢以來詩賦始各有專家

賦起於情事雜沓詩不能馭故爲賦以鋪陳之斯於千態萬狀層見迭出者吐無不暢暢無或竭楚辭招魂云結撰至思蘭芳假些入有所極同心賦些曰至曰極此皇甫士安三都賦序所謂欲人不能加也

樂章無非詩詩不皆樂賦無非詩詩不皆賦故樂章詩之宫商者也賦詩之鋪張者也

賦別於詩者詩辭情少而聲情多賦聲情少而辭情多皇甫士安三都賦序云昔之爲文者非苟尚辭而已

正見賦之尙辭不待言也

古者辭與賦通稱史記司馬相如傳言景帝不好辭賦漢書揚雄傳賦莫深於離騷辭莫麗於相如則辭亦爲賦賦亦爲辭明甚

騷爲賦之祖太史公報任安書屈原放逐乃賦離騷漢書藝文志屈原賦二十五篇不別名騷劉勰辯騷曰名儒辭賦莫不擬其儀表又曰雅頌之博徒而辭賦之英傑也

太史公屈原傳曰離騷猶離憂也於離字初未明下詁腳應劭以遭訓離恐未必是王逸楚辭章句離別也騷愁也言已放逐離別中心愁思蓋爲得之然不若

屈子自云余既不難夫離別兮傷靈脩之數化尤見
離而騷者爲君非爲私也
離騷云余固知謇謇之爲患兮忍而不能舍也九章云
知前轍之不遂兮未改此度屈子見疑愈信被謗愈
忠於此見矣
班固以屈原爲露才揚己意本揚雄反離騷所謂知衆
嫭之嫉妬兮何必揚纍之蛾眉是也然此論殊損志
士之氣王陽明弔屈平廟賦衆狂穉兮謂纍揚己二
語眞足令讀者稱快
騷辭較肆於詩此如春秋謹嚴左氏浮夸浮夸中自有
謹嚴意在

國風好色而不淫小雅怨誹而不亂淮南以此傳騷而太史公引之少陵詠宋玉宅云風流儒雅亦吾師亦字下得有眼蓋對屈子之風雅而言也
賦當以眞僞論不當以正變論正而僞不如變而眞屈子之賦所由尚已
變風變雅變之正也離騷亦變之正也跪敷衽以陳辭兮耿吾既得此中正屈子固不嫌自謂
離騷東一句西一句天上一句地下一句極開闔抑揚之變而其中自有不變者存
荀卿之賦直指屈子之賦旁通景以寄情文以代質旁通之妙用也

王逸云小山之徒閔傷屈原又怪其文昇天乘雲役使百神似若仙者余案此但得其文之似尚未得其旨屈之旨蓋在臨睨夫舊鄉不在涉青雲以汎濫遊也

騷之抑遏蔽掩蓋有得於詩書之隱約自宋玉九辯已不能繼以才穎漸露故也

頓挫莫善於離騷自一篇以至一章及一兩句皆有之此傳所謂反覆致意者

敘物以言情謂之賦余謂楚辭九歌最得此訣如嫋嫋兮秋風洞庭波兮木葉下正是寫出目眇眇兮愁予兮來荒忽兮遠望觀流水兮潺湲正是寫出思公子兮未敢言來俱有目擊道存不可容聲之意

楚辭九歌兩言以蔽之曰樂以迎來哀以送往

九歌與九章不同九歌純是性靈語九章兼多學問語

屈子九歌如雲中君之猋舉湘君之夷猶山鬼之窈窕國殤之雄毅其擅長得力處已分明一一自道矣

屈子之文取諸六氣故有晦明變化風雨迷離之意讀山鬼篇足覘其槩

屈子之辭沈痛常在轉處氣繚轉而自締悲回風篇語可以借評

屈子橘頌云秉德無私參天地兮又云行比伯夷置以爲像兮天地伯夷大矣而借橘言之故得不迂而妙

橘頌品藻精至在九章中尤純乎賦體史記屈原傳云

乃作懷沙之賦知此類皆可以賦統之
長卿大人賦出於遠遊長門賦出於山鬼王仲宣登樓
賦出於哀郢曹子建洛神賦出於湘君湘夫人而屈
子深遠矣
屈子以後之作志之清峻莫如賈生惜誓情之縣邈莫
如宋玉悲秋骨之奇勁莫如淮南招隱士
宋玉招魂在楚辭爲尤多異采約之亦只兩境一可喜
一可怖而已
問招魂何以備陳聲色供具之盛曰美人爲君子珍寶
爲仁義以張平子四愁詩序通之思過半矣且觀其
所謂不可以託不可以止之處非即水深雪雱爲小

人之例乎
宋玉風賦出於雅登徒子好色賦出於風二者品居最
上釣賦縱横之氣駸駸乎入於說術殆其降格爲之
文心雕龍云楚人理賦隱然謂楚辭以後無賦也李太
白亦云屈宋長逝無堪與言
朱子答呂東萊謂屈宋唐景之文其言雖侈其實不過
悲愁放曠二端而已於是屏絶不復觀按朱子此言
特有爲而發觀其爲楚辭集註何嘗不取諸家好處
賈誼惜誓弔屈原服賦俱有鑿空亂道意騷人情境於
斯猶見
服賦爲賦之變體即其體而通之凡能爲子書者於賦

皆足自成一家

惜誓余釋以爲惜者惜己不遇於時發乎情也誓者誓己不改所守止乎禮義也此與篇中語意俱合王逸注哀惜懷王與己約信而復背之其說似淺

讀屈賈辭不問而知其爲志士仁人之作太史公之合傳陶淵明之合贊非徒以其遇殆以其心

詩人之優柔騷人之清深後來難並矣惟奇倔一境雖亦詩騷之變而尚有可廣此淮南招隱士所以作與王無功謂薛收白牛溪賦韻趣高奇詞義曠遠嵯峨蕭瑟眞不可言余謂賦之足當此評者蓋不多有前此其惟小山招隱士乎

屈子之賦賈生得其質相如得其文雖涂徑各分而無
庸軒輊也揚子雲乃謂賈誼升堂相如入室以已多
依傚相如故耳
賈生之賦志勝才相如之賦才勝志賈馬以前景差宋
玉已若以此分途今觀大招招魂可辨
相如一切文皆善於架虛行危其賦既會造出奇怪又
會撇入窅冥所謂似不從人間來者此也至模山範
水猶其末事
屈子之賦筋節隱而不露長卿則有迹矣然作長篇學
長卿入門較易
相如之淵雅鄒陽枚乘不及然鄒枚雄奇之氣相如亦

當避謝

漢書枚乘傳梁客皆善辭賦乘尤高則知當日賦名重於相如矣後世學相如之麗者還須以乘之高濟之

枚乘七發出於宋玉招魂枚之秀韻不及宋而雄節殆於過之

班倢伃擣素賦怨而不怒兼有塞淵溫惠淑慎六字之長可謂深得風人之旨

後漢趙元叔窮魚賦及刺世嫉邪賦讀之知爲抗髒之士惟徑直露骨未能如屈賈之味餘文外耳

建安名家之賦氣格遒上意緒縣邈騷人清深此種尚延一綫後世不問意格若何但於辭上爭辯賦與騷

始異道矣
楚辭風骨高西漢賦氣息厚建安乃欲由西漢而復於
楚辭者若其至與未至所不論焉
問楚辭漢賦之別曰楚辭按之而逾深漢賦恢之而彌
廣
楚辭尚神理漢賦尚事實然漢賦之最上者機括必從
楚辭得來
或謂楚賦自鑄偉辭其取鎔經義疑不及漢余謂楚取
於經深微周浹無迹可尋實乃較漢尤高
楚辭賦之樂漢賦賦之禮歷代賦體只須本此辨之
屈靈均陶淵明皆狂狷之資也屈子離騷一往皆特立

獨行之意陶自言性剛才拙與物多忤自量爲己必貽俗患其賦品之高亦有以矣

屈子辭靁塡風颯之音陶公辭木榮泉流之趣雖有一激一平之別其爲獨往獨來則一也

離騷不必學三百篇歸去來辭不必學騷而皆有其獨至處固知眞古自與摹古異也

屈子之纏綿枚叔長卿之巨麗淵明之高逸宇宙間賦歸趣總不外此三種

李白大獵賦序云辭欲壯麗義歸博達似約相如答盛覽問賦之旨而白賦亦允足稱之

李白大鵬賦序云覩阮宣子大鵬讚鄙心陋之大獵賦

序於相如子虛上林子雲長楊羽獵且謂齷齪之甚
皆是尊題法尊題則賦之識見氣體不由不高矣
韓昌黎復志賦李習之幽懷賦皆有得於騷之波瀾意
度而異其迹象故知獵豔辭拾香草者皆童蒙之智
也

孫可之大明宮賦語極遒鍊意多勸誡與李習之幽懷
賦殊塗並美

唐之劉復愚宋之黃山谷皆學楚辭而困躓者然一種
孤峻之致正復難蹤特未可爲舉肥之相者道耳

周禮太師之職始見賦字鄭註賦之言鋪而於鋪之原
委仍引而未發也

鋪有所鋪有能鋪司馬相如答盛覽問賦書有賦迹賦心之說迹其所心其能也心迹本非截然爲二覽聞其言乃終身不敢言作賦之心抑何固哉且言賦心不起於相如自楚辭招魂同心賦些已發端矣

楚辭涉江哀郢江郢迹也涉哀心也推諸題之但有迹者亦見心但言心者亦具迹也

賦辭欲麗迹也義欲雅心也麗辭雅義見文心雕龍詮賦前此揚雄傳云司馬相如作賦甚宏麗溫雅法言云詩人之賦麗以則則與雅無異旨也

古人賦詩與後世作賦事異而意同意之所取大抵有二一以諷諫周語瞍賦矇誦是也一以言志左傳趙

孟曰請皆賦以卒君貺武亦以觀七子之志韓宣子曰二三子請皆賦起亦以知鄭志是也言志諷諫非雅麗何以善之

太史公屈原傳贊曰悲其志敘傳曰作辭以諷諫志與諷諫賦之體用具矣

屈兼言志諷諫馬揚則諷諫爲多至於班張則揄揚之意勝諷諫之義鮮矣

風雨如晦雞鳴不已屈子言志之指無已太康職思其居馬揚諷諫之指

史記司馬相如傳贊曰相如雖多虛辭濫説然其要歸引之節儉此與詩之風諫何異敘傳曰子虛之事大

人賦說靡麗多誇然其指風諫歸於無爲揚雄甘泉賦序曰奏甘泉賦以風羽獵賦序曰聊因校獵賦以風之長楊賦序曰藉翰林以爲主人子墨爲客卿以風賦之諷諫可於斯取則矣

古人一生之志往往於賦寓之史記漢書之例賦可載入列傳所以使讀其賦者即知其人也

屈原傳曰其志潔故其稱物芳文心雕龍詮賦曰體物寫志余謂志因物見故文賦但言賦體物也

董廣川士不遇賦云雖矯情而獲百利兮復不如正心而歸一善此即正誼明道之旨司馬子長悲士不遇賦云沒世無聞古人唯恥此即述往事思來者之情

陶淵明感士不遇賦云寧固窮以濟意不委曲而累己此即屢空晏如之意可見古人言必由志也

漢書藝文志曰學詩之士逸在布衣而賢人失志之賦作矣余案所謂失志者在境不在己也屈子懷沙賦云離慜而不遷兮願志之有像如此雖謂失志之賦即勵志之賦可矣

鄒陽獄中上書氣盛語壯禰正平賦鸚鵡於黃祖長子座上蹙蹙焉有自憐依人之態於生平志氣得無未稱

志士之賦無一語隨人笑歎故雖或顛倒複沓糾轇隱晦而斷非文人才客求慊人而不求自慊者所能擬

效

雄雉之詩瞻彼日月兩章自來賢人失志之賦不出此意所謂行有不得反求諸己也若一涉怨天尤人豈有是處

漢書藝文志言賢人失志之賦有惻隱古詩之意余謂江湖憂君廟堂憂民惻隱不獨失志然也觀姬公東山七月可見

或問古人賦之言志者漢如崔篆之慰志馮衍之顯志魏如劉楨之遂志丁儀之勵志晉如棗據之表志曹攄之述志然則賦以徑言其志爲尚乎余謂賦無往而非言志也必題是志而後其賦爲言志則志或幾

平息矣

實事求是因寄所託一切文字不外此兩種在賦則尤缺一不可若美言不信玩物喪志其賦亦不可已乎

風詩中賦事往往兼寓比興之意鍾嶸詩品所由竟以寓言寫物爲賦也賦兼比興則以言內之實事寫言外之重旨故古之君子上下交際不必有言也以賦相示而已不然賦物必此物其爲用也幾何

春有草樹山有烟霞皆是造化自然非設色之可擬故賦之爲道重象尤宜重興興不稱象雖紛披繁密而生意索然能無爲識者厭乎

賦與譜錄不同譜錄惟取誌物而無情可言無采可發

則如數他家之寶無關己事以賦體視之孰爲親切且尊異耶

賦必有關著自己痛癢處如嵇康敘琴向秀感笛豈可與無病呻吟者同語

在外者物色在我者生意二者相摩相盪而賦出焉若與自家生意無相入處則物色祇成閒事志士遑問及乎

賦欲不朽全在意勝楚辭招魂言賦先之以結撰至思眞乃千古篤論

賦家主意定則羣意生試觀屈子辭中忌己者如黨人憫己者如女嬃靈氛巫咸以及漁父別有崇尚詹尹

不置是非皆由屈子先有主意是以相形相對者皆
若沓然偕來拱向注射之耳
周南卷耳四章只嗟我懷人一句是點明主意餘者無
非做足此句賦之體約用博自是開之
賦兼敘列二法列者一左一右橫義也敘者一先一後
豎義也
司馬長卿論賦云一經一緯或疑經可言緯不可言
一不知乃舉一例百合百為一耳
賦欲縱橫自在係乎知類太史公屈原傳曰舉類邇而
見義遠敘傳又曰連類以爭義司馬相如封禪書曰
依類託寓枚乘七發曰離辭連類皇甫士安敘三都

賦曰觸類而長之

張融作海賦不道鹽因顧凱之之言乃益之姚鉉合夏竦爲水賦限以萬字竦作三千字鉉怒不視曰汝何不於水之前後左右廣言之竦益得六千字可知賦須當有者盡有更須難有者能有也

司馬長卿謂賦家之心包括宇宙成公綏天地賦序云賦者貴能分賦物理敷演無方天地之盛可以致思矣意與長卿宛合

賦取窮物之變如山川草木雖各具本等意態而隨時異觀則存乎陰陽晦明風雨也

賦家之心其小無內其大無垠故能隨其所值賦像班

形所謂惟其有之是以似之也
賦以象物按實肖象易憑虛構象難能構象象乃生生不窮矣唐釋皎然以作用論詩可移之賦
賦之妙用莫過於設字訣看古作家無中生有處可見如設言值何時處何地遇何人之類未易悉舉
賦必合數章而後備故大言小言兩賦俱設爲數人之語準此意則知賦用一人之語者亦當以參伍錯綜出之
賦須曲折盡變孔穎達謂言事之道直陳爲正此第明賦之義非論其勢勢曲固不害於義直也
賦取乎麗而麗非奇不顯是故賦不厭奇然往往有以

竟體求奇轉至不奇者由不知以蓄奇爲洩奇地耳

譚友夏論詩謂一篇之朴以養一句之靈一句之靈能回一篇之朴此說每爲談藝者所訶然徵之於古未嘗不合如秦風小戎言念君子以下卽以靈回朴也其上皆以朴養靈也豳風東山每章之意俱因收二句而顯若敦彼獨宿以及其新孔嘉云云皆靈也每二句之前皆朴也賦家用此法尤多至靈能起朴更可隅反

賦中駢偶處語取蔚茂單行處語取淸瘦此自宋玉相如已然

賦之尙古久矣古之大要有五性情古義古字古音節

古筆法古

古賦難在意創獲而語自然或但執言之短長聲之高下求之猶未免刻舟之見

古賦調拗而諧采淡而麗情隱而顯勢正而奇

古賦意密體疎俗賦體密意疎

俗賦一開口便有許多後世事迹來相困躓古賦則越世高談自開戶牖豈肯屋下蓋屋耶

賦兼才學才如漢書藝文志論賦曰感物造端材智深美北史魏收傳曰會須作賦始成大才士學如揚雄謂能讀賦千首則善爲之

以賦視詩較若紛至沓來氣猛勢惡故才弱者往往能

為詩不能為賦積學以廣才可不豫乎

賦從貝欲其言有物也從武欲其言有序也書具乃貝玉曲禮堂上接武堂下布武意可思矣

古人稱不歌而誦謂之賦雖賦之卒往往系之以歌如楚辭亂曰重曰少歌曰倡曰之類皆是也然此乃古樂章之流使早用於誦之中則非體矣大抵歌憑心誦憑目方憑目之際欲歌焉庸有暇乎

楚辭惜誦無歌調九歌無誦調歌誦之體於斯可辨

言騷者取幽深柳子厚謂參之離騷以致其幽蘇老泉謂騷人之清深是也言賦者取顯亮王文考謂物以賦顯陸士衡謂賦體物而瀏亮是也然二者正須相

用乃見解人

學騷與風有難易風出於性靈者爲多故雖婦人女子無不可與騷則重以脩能嫻於辭令非學士大夫不能爲也賦出於騷言典致博旣異家人之語故雖宏達之士未見數數有作何論險胸襟之間見者乎

范梈論李白樂府遠别離篇曰所貴乎楚言者斷如復斷亂如復亂而詞義反復屈折行乎其間實未嘗斷而亂也余謂此數語可使學騷者得門而入然又不得執形似以求之

騷調以虛字爲句腰如之於以其而乎夫是也腰上一字與句末一字平仄異爲諧調平仄同爲拗調如帝

高陽之苗裔兮攝提貞於孟陬兮之於二字爲腰陽貞腰上字裔陬句末字陽平裔仄爲異貞陬皆平爲同九歌以兮字爲句腰腰上一字與句末一字句調諧拗亦準此如吉日兮辰良日仄良平浴蘭湯兮沐芳湯芳皆平

賦長於擬效不如高在本色屈子之騷不沾沾求似風雅故能得風雅之精長卿大人賦於屈子遠遊未免落擬效之迹

賦有夷險二境讀楚辭湘君湘夫人便覺有逍遥容與之情讀招隱士便覺有罔沕憭栗之意

戴安道畫南都賦范宣歎爲有益知畫中有賦即可知

賦中宜有畫矣

以精神代色相，以議論當鋪排，賦之別格也。正格當以色相寄精神，以鋪排藏議論耳。

賦蘊有思勝於辭者，荀卿禮智雲蠶諸賦，篇雖短，卻已想透無遺。陸士衡文賦精語絡驛，其曰非華說之所能精，命意蘊可見矣。

以老莊釋氏之旨入賦，固非古義，然亦有理趣理障之不同。如孫興公遊天台山賦云「騁神變之揮霍，忽出有而入無」，此理趣也。至云「悟遺有之不盡，覺涉無之有閒，泯色空以合跡，忽卽有而得元，釋二名之同出，消一無於三幡」，則落理障甚矣。

賦有以所紀之事實重者如王無功遊北山賦似不過寫其閒適曠達之意然敘文中子一段抽出之足爲文獻之徵乃賦中有關係處也

揚子雲謂雕蟲篆刻壯夫不爲然壯夫自有壯夫之賦不然則周公尹吉甫敘事之作亦不足稱矣楊德祖答臨淄侯牋先得我心

賦因人異如荀卿雲賦言雲者如彼而屈子雲中君亦雲也乃至宋玉高唐賦亦雲也晉楊乂陸機俱有雲賦其旨又各不同以賦觀人者當於此著眼

詩持也此義通之於賦如陶淵明之感士不遇持己也李習之之幽懷持世也

名士之賦歎老嗟卑俗士之賦從諛導侈以持己持世之義準之皆當見斥也況流連般樂者耶

賦尚才不如尚品或竭盡雕飾以夸世媚俗非才有餘乃品不足也徐庾兩家賦所由卒未令人滿志與

升高能賦升高雖指身之所處而言然才識懷抱之當高卽此可見如陶淵明言登高賦新詩亦有微旨

或問左思三都賦序以升高能賦爲頌其所見所見或不足賦奈何曰嚴滄浪謂詩有別材別趣余亦謂賦有別眼別眼之所見顧可量耶

皇甫士安三都賦序曰引而伸之觸類而長之劉彦和詮賦曰擬諸形容象其物宜余論賦則曰仁者見之

謂之仁智者見之謂之智

藝槩卷三終

藝槩卷四

興化　劉熙載　融齋

詞曲槩

樂歌古以詩近代以詞如關雎鹿鳴皆聲出於言也詞則言出於聲矣故詞聲學也

說文解詞字曰意內而言外也徐鍇通論曰音內而言外在音之內在言之外也故知詞也者言有盡而音意無窮也

詞有創調倚聲本諸倡和倡和莫先於虞廷觀乃歌曰以下三句調卽乃賡載歌及又歌之調所出也風雅篇必數章後章亦多用前調其或前後小異者殆猶

詞同調之又一體耳

詞導源於古詩故亦兼具六義六義之取各有所當不得以一時一境盡之

樂中正爲雅多哇爲鄭詞樂章也雅鄭不辨更何論焉

梁武帝江南弄陶宏景寒夜怨陸瓊飲酒樂徐孝穆長相思皆具詞體而堂廡未大至太白菩薩蠻之繁情促節憶秦娥之長吟遠慕遂使前此諸家悉歸環內

太白菩薩蠻憶秦娥兩闋足抵少陵秋興八首想其情境殆作於明皇西幸後乎

張志和漁歌子西塞山前白鷺飛一闋風流千古東坡嘗以其成句用入鷓鴣天又用於浣溪沙然其所足

成之句猶未若原詞之妙通造化也黃山谷亦嘗以其詞增爲浣溪沙且誦之有矜色焉

太白菩薩蠻憶秦娥張志和漁歌子兩家一憂一樂歸趣難名或靈均思美人哀郢莊叟濠上近之耳

温飛卿詞精妙絕人然類不出乎綺怨韋端己馮正中諸家詞留連光景惆悵自憐葢亦易飄颺於風雨者若第論其吐屬之美又何加焉

馮延己詞晏同叔得其俊歐陽永叔得其深

宋子京詞是宋初體張子野始創瘦硬之體雖以佳句互相稱美其實趣尚不同

王半山詞瘦削雅素一洗五代舊習惟未能涉樂必笑

言哀已歎故深情之士不無閒然

柳耆卿詞昔人比之杜詩爲其實說無表德也余謂此論其體則然若論其旨少陵恐不許之

耆卿詞細密而妥溜明白而家常善於敘事有過前人惟綺羅香澤之態所在多有故覺風期未上耳

東坡詞頗似老杜詩以其無意不可入無事不可言也若其豪放之致則時與太白爲近

太白憶秦娥聲情悲壯晚唐五代惟趨婉麗至東坡始能復古後世論詞者或轉以東坡爲變調不知晚唐五代乃變調也

東坡定風波云尚餘孤瘦雪霜姿荷華媚云天然地別

是風流標格雪霜姿風流標格學坡詞者便可從此領取

東坡與鮮于子駿書云近卻頗作小詞雖無柳七郎風味亦自成一家一似欲爲耆卿之詞而不能者然坡嘗譏秦少游滿庭芳詞學柳七句法則意可知矣

東坡詞具神仙出世之姿方外白玉蟾諸家惜未詣此

黃山谷詞用意深至自非小才所能辦惟故以生字俚語侮弄世俗若爲金元曲家濫觴

少游詞有小晏之妍其幽趣則過之梅聖俞蘇幕遮云落盡梅花春又了滿地斜陽翠色和煙老此一種似爲少游開先

秦少游詞得花閒尊前遺韻卻能自出清新東坡詞雄姿逸氣高軼古人且稱少游爲詞手山谷傾倒於少游千秋歲詞落紅萬點愁如海之句至不敢和要其他詞之妙似此者豈少哉

少游水龍吟小樓連苑橫空下窺繡轂雕鞍驟東坡譏之云十三箇字只說得一箇人騎馬樓前過語極解頤其子湛作卜算子云極目煙中百尺樓人在樓中否言外無盡似勝乃翁未識東坡見之云何

叔原貴異方回贍逸耆卿細貼少游清遠四家詞趣各別惟尙婉則同耳

東坡詞在當時鮮與同調不獨秦七黃九別成兩派也

晁无咎坦易之懷，磊落之氣，差堪驂靳，然懸崖撒手處，无咎莫能追躡矣。

无咎詞堂廡頗大，人知辛稼軒摸魚兒更能消幾番風雨一闋爲後來名家所競效，其實辛詞所本，卽无咎摸魚兒買陂塘旋栽楊柳之波瀾也。

周美成詞，或稱其無美不備。余謂論詞莫先於品。美成詞信富豔精工，只是當不得箇貞字。是以士大夫不肯學之，學之則不知終日意縈何處矣。

周美成律最精審，史邦卿句最警鍊，然未得爲君子之詞者，周旨蕩而史意貪也。

辛稼軒風節建豎，卓絶一時，惜每有成功，輒爲議者所沮觀其踏莎行和趙興國有云吾道悠悠憂心悄悄其志與遇槩可知矣宋史本傳稱其雅善長短句悲壯激烈又稱謝校勘過其墓旁有疾聲大呼於堂上若鳴其不平然則其長短句之作固莫非假之鳴者哉

稼軒詞龍騰虎擲任古書中理語瘦語一經運用便得風流天姿是何夐異

蘇辛皆至情至性人故其詞瀟灑卓犖悉出於溫柔敦厚世或以粗獷託蘇辛固宜有視蘇辛爲別調者哉

張玉田盛稱白石而不甚許稼軒耳食者遂於兩家有軒輊意不知稼軒之體白石嘗效之矣集中如永遇

樂漢宮春諸闋均次稼軒韻其吐屬氣味皆若祕響
相通何後人過分門戶耶

白石才子之詞稼軒豪傑之詞才子豪傑各從其類愛
之強論得失皆偏辭也

姜白石詞幽韻冷香令人挹之無盡擬諸形容在樂則
琴在花則梅也

詞家稱白石曰白石老仙或問畢竟與何仙相似曰藐
姑冰雪蓋爲近之

陳同甫與稼軒爲友其人才相若詞亦相似同甫賀新
郎寄幼安見懷韻云樹猶如此堪重別只使君從來
與我話頭多合行矣置之無足問誰換妍皮癡骨但

莫使伯牙絃絕其酬幼安再用韻見寄云斬新換出旗麾別把當時一椿大義拆開收合據地一呼吾往矣萬里摇肢動骨這話欄只成癡絕懷幼安用前韻云男兒何用傷離別況古來幾番際會風從雲合千里情親長晤對妙體本心次骨臥百尺高樓斗絕觀此則兩公之氣誼懷抱俱可知矣

同甫水龍吟云恨芳菲世界游人未賞都付與鶯和燕言近指遠直有宗留守大呼渡河之意

陸放翁詞安雅清贍其尤佳者在蘇秦閒然乏超然之致天然之韻是以人得測其所至

劉改之詞狂逸之中自饒俊致雖沉著不及稼軒足以

自成一家其有意效稼軒體者如沁園春斗酒彘肩等闋又當別論

高竹屋詞爭驅白石然嫌多綺語如御街行之詠轎其設想之細膩曲折何爲也哉訶籬亦然劉改之沁園春詠美人指甲美人足二闋以褻體爲世所共譏然病在標者猶易治也

劉後村詞旨正而語有致眞西山文章正宗詩歌一門屬後村編類且約以世教民彝爲主知必心重其人也後村賀新郎席上聞歌有感云粗識國風關雎亂羞學流鶯百囀總不涉閨情春怨又云我有生平離鸞操頗哀而不愠微而婉意殆自寓其詞品耶

蔣竹山詞未極流動自然然洗鍊縝密語多創獲其志視梅溪較貞其思視夢窗較清劉文房為五言長城竹山其亦長短句之長城與

張玉田詞清遠蘊藉悽愴纏綿大段瓣香白石亦未嘗不轉益多師卽探芳信之次韻草窗瑣窗寒之悼碧山西子妝之效夢窗可見

評玉田詞者謂當與白石老仙相鼓吹玉田作瑣窗寒悼王碧山序謂碧山其詞閑雅有姜白石意今觀張王兩家情韻極為相近如玉田高陽臺之接葉巢鶯與碧山高陽臺之淺萼梅酸尤同鼻息

文文山詞有風雨如晦雞鳴不已之意不知者以為變

聲其實乃變之正也故詞當合其人之境地以觀之

北宋詞用密亦疏用隱亦亮用沈亦快用細亦闊用精亦渾南宋只是掉轉過來

南宋詞近耆卿者多近少游者少少游疏而耆卿密也

詞品喻諸詩東坡稼軒李杜也耆卿香山也夢窗義山也白石玉田大秝十子也其有似韋蘇州者張子野當之

金元遺山詩兼杜韓蘇黃之勝儼有集大成之意以詞而論疏快之中自饒深婉亦可謂集兩宋之大成者矣

東坡謂陶淵明詩臞而實腴質而實綺余謂元劉靜修

之詞亦然

蘇辛詞似魏元成之嫵媚劉靜修詞似邵康節之風流倘泛泛然以橫放瘦澹名之過矣

虞伯生薩天錫兩家詞皆兼擅蘇秦之勝張仲舉詞大抵導源白石時或以稼軒濟之

詞之章法不外相摩相盪如奇正空實抑揚開合工易寬緊之類是已

詞中承接轉換大抵不外紆徐斗健交相爲用所貴融會章法按脈理節拍而出之

元陸輔之詞旨云對句好可得起句好難得收拾全藉出場此葢尤重起句也余謂起收對三者皆不可忽

大抵起句非漸引即頓入其妙在筆未到而氣已吞收句非繞回即宕開其妙在言雖止而意無盡對句非四字六字即五字七字其妙在不類於賦與詩

詞有過變隱本於詩宋書謝靈運傳論云前有浮聲則後須切響盖言詩當前後變化也而雙調換頭之消息即此已寓升歌笙入閒歌合樂楚辭招魂所謂四上競氣也詞之過變處節次淺深準此辨之

詞或前景後情或前情後景或情景齊到相閒相融各有其妙

一轉一深一深一妙此騷人三昧倚聲家得之便自超

出常境

空中蕩漾最是詞家妙訣上意本可接入下意卻偏不入而於其閒傳神寫照乃愈使下意栩栩欲動楚辭所謂君不行兮夷猶蹇誰留兮中洲也

詞要放得開最忌步步相連又要收得回最忌行行愈遠必如天上人閒去來無迹斯爲入妙

小令難得變化長調難得融貫其實變化融貫在在相須不以長短別也

詞以鍊章法爲隱鍊字句爲秀秀而不隱是猶百琲明珠而無一綫穿也

鍊字數字爲鍊一字亦爲鍊句則合句首句中句尾以

見意多者三四層少亦不下兩層詞家或遂謂字易
而句難不知鍊句固取相足相形鍊字亦須遙管遙
應也
玉田謂詞與詩不同合用虛字呼喚余謂用虛字正樂
家歌詩之法也朱子云古樂府祇是詩中閒卻添出
許多泛聲後人怕失了那泛聲遂一聲添箇實字遂
成長短句今曲子便是案朱子所謂實字謂實有箇
字雖虛字亦是有也
詞之好處有在句中者有在句之前後際者陳去非虞
美人吟詩日日待春風及至桃花開後卻匆匆此好
在句中者也臨江仙杏花疎影裏吹笛到天明此因

仰承憶昔俯注一夢故此二句不覺豪酣轉成悵悒所謂好在句外者也儻謂現在如此則騃甚矣

賀方回青玉案詞收四句云試問閒愁都幾許一川煙草滿城風絮梅子黃時雨其末句好處全在試問句呼起及與上一川二句並用耳或以方回有賀梅子之稱專賞此句誤矣且此句原本寇萊公梅子黃時雨如霧詩句然則何不目萊公爲寇梅子耶

詞之妙全在襯跌如文文山滿江紅和王夫人云世態便如翻覆雨妾身元是分明月酹江月和友人驛中言別云鏡裏朱顏都變盡只有丹心難滅每二句若非上句則下句之聲情不出矣

詞眼二字見陸輔之詞旨其實輔之所謂眼者仍不過某字工某句警耳余謂眼乃神光所聚故有通體之眼有數句之眼前前後後無不待眼光照映若舍章法而專求字句縱爭奇競巧豈能開闔變化一動萬隨耶

詞家用韻在先觀其韻之通別別者必不可通通者仍須知別如江之於陽眞之於庚古韻既別雖今吻相通要不得而通也東冬於江歌於麻古韻雖通然今吻既別便不可以無別也至一韻之中如十三元韻今吻讀之其音約分三類亦當擇而取之餘韻準此

詞中平仄體有一定言入或有平作仄仄作平者必合

句上句下句内之字權其律之所宜互爲更換斯得如銅山靈鐘東西相應故效古者當專效一體不可挹彼注茲致譏聲病

平聲可爲上入語本張玉田詞源則平去之不可相代審矣然平可代以上入而上入或轉有不可互代者玉田稱其父寄閒老人瑞鶴仙詞粉蝶兒撲定花心不去聞了尋香兩翅撲字不協遂改爲守字此於聲音之道不其嚴乎

上入雖可代平然亦有必不可代之處使以宛轉還就之聲亂一定不易之律則代之一說轉以不知爲愈矣

上去不宜相替宋沈伯時義甫之說也去聲當高唱上聲當低唱明沈璟詞隱之說也兩說爲後人論詞者所本爰爲表而出之

詞家既審平仄當辨聲之陰陽又當辨收音之口法取聲取音以能協爲尚玉田稱其父惜花春起早詞瑣窗深句深字不協改爲幽字又不協再改爲明字始協此非審於陰陽者乎又深爲閉口音幽爲斂脣音明爲穿鼻音消息亦別

古人原詞用入聲韻效其詞者仍宜用入餘則否至如句中用入解人愼之

詞家辨句兼辨讀讀在句中如楚辭九歌每句中間皆

有兮字兮者無辭而有聲卽其讀也更以古樂府觀之篇終有聲如臨高臺之收中吾是也句下有聲如有所思之妃呼豨是也何獨於句中之聲而疑之

詞句中用雙聲疊韻之字自兩字之外不可多用惟犯疊韻者少犯雙聲者多蓋同一雙聲而開口齊齒合口撮口呼法不同便易忘其爲雙聲也解人正須於不同而同者去其隱疾且不惟雙聲也凡喉舌齒牙脣五音俱忌單從一音連下多字

十二律與後世各宮調異名而同實如在黃鍾則正黃鍾爲宮大石調爲商以至般涉調爲羽在大呂則高宮爲宮高大石調爲商高般涉調爲羽詞源所列既

明且備矣

詞固必期合律然雅頌合律桑間濮上亦未嘗不合律也律和聲本於詩言志可爲專講律者進一格焉

昔人詞詠古詠物隱然只是詠懷蓋其中有我在也然人亦孰不有我惟耿吾得此中正者尙耳

詞深於興則覺事異而情同事淺而情深故沒要緊語正是極要緊語亂道語正是極不亂道語固知吹皺一池春水干卿甚事原是戲言

鄰人之笛懷舊者感之斜谷之鈴溺愛者悲之東坡水龍吟和章節夫詠楊花云細看來不是楊花點點是離人淚亦同此意

東坡水龍吟起云似花還似非花此句可作全詞評語蓋不離不卽也時有舉史梅溪雙雙燕詠燕姜白石齊天樂賦蟋蟀令作評語者亦曰似花還似非花

詞中用事貴無事障晦也膚也多也板也此類皆障也姜白石詞用事入妙其要訣所在可於其詩說見之曰僻事實用熟事虛用學有餘而約以用之善用事者也乍敘事而間以理言得活法者也

詞有點有染柳耆卿雨淋鈴云多情自古傷離別更那堪冷落清秋節今宵酒醒何處楊柳岸曉風殘月上二句點出離別冷落今宵二句乃就上二句意染之點染之間不得有他語相隔隔則警句亦成死灰矣

詞有尙風有尙骨歐公朝中措云手種堂前楊柳別來幾度春風東坡雨中花慢云高會聊追短景淸商不假餘妍孰風孰骨可辨

王敬美論詩云河下輿隸須驅遣另換正身胡明仲稱眉山蘇氏詞一洗綺羅香澤之態擺脫綢繆宛轉之度使人登高望遠舉首高歌而逸懷浩氣超乎塵埃之表此殆所謂正身者耶

詩有西江西崑兩派惟詞亦然戴石屏望江南云誰解學西崑是學西江派人語吳夢窗一流當不喜聞

詞之爲物色香味宜無所不具以色論之有借色有眞色借色每爲俗情所豔不知必先將借色洗盡而後

眞色見也

昔人論詞要如嬌女步春余謂更當有以益之曰如異軍特起如天際眞人

詞尙清空妥溜昔人已言之矣惟須妥溜中有奇創清空中有沈厚才見本領

詞要恰好粗不得纖不得硬不得輭不得不然非傖父即兒女矣

黃魯直跋東坡卜算子缺月掛疎桐一闋云語意高妙似非喫煙火食人語非胸中有萬卷書筆下無一點塵俗氣孰能至此余案詞之大要不外厚而清厚包諸所有清空諸所有也

詞澹語要有味，壯語要有韻，秀語要有骨

詞要清新，切忌拾古人牙慧。蓋在古人爲清新者，襲之即腐爛也。拾得珠玉，化爲灰塵，豈不重可鄙笑！

描頭畫角，是詞之低品。蓋詞有全體，宜無失其全；詞有內蘊，宜無失其蘊。

詞之妙莫妙於以不言言之，非不言也，寄言也。如寄深於淺，寄厚於輕，寄勁於婉，寄直於曲，寄實於虛，寄正於餘，皆是。

詞以不犯本位爲高。東坡滿庭芳「老去君恩未報，空回首、彈鋏悲歌」，語誠慷慨，然不若水調歌頭「我欲乘風歸去，又恐瓊樓玉宇，高處不勝寒」，尤覺空靈蘊藉。

司空表聖云梅止於酸鹽止於鹹而美在酸鹹之外嚴滄浪云妙處透徹玲瓏不可湊泊如水中之月鏡中之象此皆論詩也詞亦以得此境爲超詣

玉田論詞曰蓮子熟時花自落余更益以太白詩二句曰清水出芙蓉天然去雕飾

古樂府中至語本只是常語一經道出便成獨得詞得此意則極鍊如不鍊出色而本色入籟悉歸天籟矣

詞中句與字有似觸著者所謂極鍊如不鍊也晏元獻無可奈何花落去二句觸著之句也宋景文紅杏枝頭春意鬧鬧字觸著之字也

詞貴得本地風光張子野遊垂虹亭作定風波有云見

說賢人聚吳分試問也應傍有老人星是時予野年
八十五而坐客皆一時名人意確切而語自然洵非
易到

詩放情曰歌悲如蛩螿曰吟通乎俚俗曰謠載始末曰
引委曲盡情曰曲詞腔遇此等名當於詩義溯之又
如腔名中有喜怨憶惜等字亦以還他本意爲合

詞莫要於有關係張元幹仲宗因胡邦衡謫新州作賀
新郎送之坐是除名然身雖黜而義不可沒也張孝
祥安國於建康留守席上賦六州歌頭致感重臣罷
席然則詞之興觀羣怨豈下於詩哉

詞尚風流儒雅以塵言爲儒雅以綺語爲風流此風流

儒雅之所以亡也

綺語有顯有微依花附草之態略講詞品者亦知避之然或不著相而染神病尤甚矣

沒些兒媻珊勃窣也不是峥嶸突兀管做徹元分人物此陳同甫三部樂詞也余欲借其語以判詞品詞以元分人物爲最上峥嶸突兀猶不失爲奇傑媻珊勃窣則淪於側媚矣

詞有陰陽陰者采而匿陽者疎而亮本此以等諸家之詞莫之能外

桓大司馬之聲雌以故不如劉越石豈惟聲有雌雄哉意趣氣味皆有之品詞者辨此亦可因詞以得其人

矣

齊梁小賦唐末小詩五代小詞雖小卻好雖好卻小蓋所謂兒女情多風雲氣少也

耆卿兩同心云酒戀花迷役損詞客余謂此等只可名迷戀花酒之人不足以稱詞客詞客當有雅量高致者也或曰不聞花間尊前之名集乎曰使兩集中人可作正欲以此質之

詞家先要辨得情字詩序言發乎情文賦言詩緣情所貴於情者爲得其正也忠臣孝子義夫節婦皆世間極有情之人流俗誤以欲爲情欲長情消患在世道倚聲一事其小焉者也

詞進而人亦進其詞可爲也詞進而人退其詞不可爲也詞家彀到名教之中自有樂地儒雅之內自有風流斯不患其人之退也夫

曲之名古矣近世所謂曲者乃金元之北曲及後復溢爲南曲者也未有曲時詞即是曲既有曲時曲可悟詞苟曲理未明詞亦恐難獨善矣

詞如詩曲如賦賦可補詩之不足者也昔人謂金元所用之樂嘈雜淒緊緩急之間詞不能按乃更爲新聲是曲亦可補詞之不足也

南北成套之曲遠本古樂府近本詞之過變遠如漢焦仲卿妻詩敘述備首尾情事言狀無一不肖梁木蘭

辭亦然近如詞之三疊四疊有戚氏鶯啼序之類曲之套數殆即本此意法而廣之所別者不過次第其牌名以爲記目耳

樂曲一句爲一解一章爲一解並見古今樂錄王僧虔啟云古曰章今曰解余案以後世之曲言之小令及套數中牌名無非章解遺意

洪容齋論唐詩戲語引杜牧公道世間惟白髮貴人頭上不曾饒高駢依稀似曲才堪聽又被吹將別調中羅隱自家飛絮猶無定爭解垂絲絆路人余謂觀此則南北劇中之本色當家處古人早透消息矣

魏書胡叟傳云既善爲典雅之詞又工爲鄙俗之句余

◎

變換其義以論曲以爲其妙在借俗寫雅面子疑於放倒骨子彌復認眞雖半莊半諧不皆典要何必非莊子所謂直寄焉以爲不知己者訴厲耶

王元美云詞不快北耳而後有北曲北曲不諧南耳而後有南曲何元朗云北字多而調促促處見筋南字少而調緩緩處見眼二說其實一也益促故快緩故諧耳

元張小山喬夢符爲曲家翹楚李中麓謂猶唐之李杜太和正音譜評小山詞如披太華之天風招蓬萊之海月中麓作夢符詞序稱評其詞者以爲若天吳跨神鼇噀沫於大洋波濤洶湧有截斷衆流之勢案小

山極長於小令夢符雖頗作雜劇散套亦以小令爲最長兩家固同一騷雅不落俳語惟張尤翛然獨遠耳

曲以破有破空爲至上之品中麓謂小山詞瘦至骨立血肉銷化俱盡乃鍊成萬轉金鐵軀破有也又嘗謂其句高而情更款破空也

北曲名家不可勝舉如白仁甫貫酸齋馬東籬王和卿關漢卿張小山喬夢符鄭德輝宮大用其尤著也諸家雖未開南曲之體然南曲正當得其神味觀彼所製圓溜瀟灑纏綿蘊藉於此事固若有別材也

太和正音譜諸評約之只清深豪曠婉麗三品清深如

吳仁卿之山間明月也豪曠如貫酸齋之天馬脫羈也婉麗如湯舜民之錦屏春風也

北曲六宮十一調各具聲情元周德清氏已傳品藻六宮曰仙呂清新綿邈南呂感歎傷悲中呂高下閃賺黃鍾富貴纏綿正宮惆悵雄壯道宮飄逸清幽十一調曰大石風流蘊藉小石旖旎嫵媚高平條暢滉漾般涉拾掇坑塹歇指急併虛歇商角悲傷宛轉雙調健捷激褭商調悽愴怨慕角調嗚咽悠揚宮調典雅沉重越調陶寫冷笑製曲者每用一宮一調俱宜與其神理脗合南曲之九宮十三調可準是推矣

曲有借宮然但有例借而無意借既須考得某宮調中

可借某牌名更須考得部位宜置何處乃得節律有
常而無破裂之病

曲套中牌名有名同而體異者有體同而名異者名同
體異以其宮異也體同名異亦以其宮異也輕重雄
婉之宜當各由其宮體貼出之

牌名亦各具神理昔人論歌曲之善謂玉芙蓉玉交枝
玉山供不是路要馳驍鍼線箱黃鶯兒江頭金桂要
規矩二郎神集賢賓月兒高念奴嬌本序刷子序要
抑揚蘊藉已兼爲製曲言矣

曲莫要於依格同一宮調而古來作者甚多既選定一
人之格則牌名之先後句之長短韻之多寡平仄當

盡用此人之格未有可以張冠李戴斷鶴續鳧者也

曲所以最患失調者一字失調則一句失調矣一牌一宮俱失調矣乃知王伯良之曲律李元玉之北詞廣正譜原非好爲苛論

姜白石製詞自記拍於字旁張玉田詞源詳十二律諸記足爲注腳蓋即應律之工尺也遼史樂志云大樂其聲凡十五凡工尺上一四六勾合樂家旣視遼志爲故常當不疑姜記爲奇秘矣

曲辨平仄兼辨仄之上去蓋曲家以去爲送音以上爲頓音送高而頓低也辨上去尤以煞尾句爲重煞尾句尤以末一字爲重

玉田詞源最重結聲蓋十二宮所住之字不同者必不容相犯也此雖以六凡工尺上一四勾合五言之而平上去可推矣

北曲楔子先於隻曲南曲引子先於正曲語意既忌占實又忌落空既怕罣漏又怕夾雜此爲大要

曲一宮之內無論牌名幾何其篇法不出始中終三停始要含蓄有度中要縱橫盡變終要優游不竭

纍纍乎端如貫珠歌法以之蓋取分明而聯絡也曲之章法所尚亦不外此

曲句有當奇有當偶當奇而偶當偶而奇皆由昧於句讀韻腳及襯字以致誤耳

曲於句中多用襯字固嫌喧客奪主然亦有自昔相傳用襯字處不用則反不靈活者

曲止小令雜劇套數三種小令套數不用代字訣雜劇全是代字訣不代者品欲高代者才欲富此亦如詩言志賦體物之別也又套數視雜劇尤宜貫串以雜劇可借白爲聯絡耳

曲家高手往往尤重小令蓋小令一闋中要具事之首尾又要言外有餘味所以爲難不似套數可以任我鋪排也

辨小令之當行與否尤在辨其務頭蓋腔之高低節之遲速此爲關鎖故但看其務頭深穩瀏亮者必作家

也俗手不問本調務頭在何句何字只管平塌塡去關鎖之地既差全關爲之滅色矣

曲以六部收聲東冬江陽庚靑蒸七韻穿鼻收支微齊佳灰五韻展輔收魚虞蕭肴豪尤六韻斂脣收眞文元寒刪先六韻舐齶收歌麻二韻直喉收侵覃鹽咸四韻閉口收六部既明又須審其高下疾徐歡愉悲戚某韻畢竟是何神理庶度曲時情韻不相乖謬

詩韻有入聲者東冬江眞支元寒刪先陽庚靑蒸侵覃鹽咸是也北曲韻俱無入聲詩韻無入聲者支微魚虞齊佳灰蕭肴豪歌麻尤是也北曲韻卽以東冬至鹽咸各韻入聲配隸支微等韻之平上去三聲如屋

本東之入聲沃本冬之入聲曲俱隸魚模上聲以及
覺本江入曲隸蕭豪上質眞入曲齊微上物文入曲
魚模去月元入曲車遮去曷寒入曲歌戈平黠刪入
曲家麻平屑先入曲車遮上藥陽入曲蕭豪去陌庚
入曲皆來去錫青入職蒸入緝侵入曲俱齊微上合
覃入曲歌戈平葉鹽入曲車遮去洽咸入曲家麻平
是其槩已

平仄互叶詞先於曲如西江月醜奴兒慢少年心換巢
鸞鳳戚氏是也又鼓笛令撥棹子蝶戀花漁家傲惜
奴嬌大聖樂亦俱有互叶之一體然詞止以上去叶
平非若北曲以入與三聲互叶也

入聲配隸三聲中原音韻自一東鍾至十九廉纖皆是也然曲中用入作平之字可有而不可多多則習氣太重且難高唱矣

昔人言正清次清之入聲北音俱作上聲次濁作去正濁作平此特舉其大略而已檢中原韻部入作上者雖皆清聲要其清聲之作去者不下十之三四作平者亦十之二三焉得不別而識之

北曲用中原音韻南曲用洪武正韻明人有其說矣然南曲祇可從正韻分平上去之部不可用其入聲爲韻腳案正韻二十二韻入聲凡十自東之入屋以至鹽之入葉其入聲徑讀入聲三聲皆不能與之相叶

即句中各字於中原之入作平者幷以勿用爲妥葢南曲本脫胎於北亦須無使北人棘口也

曲家之所謂陰聲即等韻家之所謂清聲曲家之所謂陽聲即等韻家之所謂濁聲自切韻指掌切韻指南四聲等子於三十六字母已標清濁明陳藎謨獻可之轉音經緯尤明白易曉是以沈君徵度曲須知列入之轉音經緯見端知幫非精影照八母爲純清溪透徹滂敷曉清心穿審十母次清羣定澄竝奉匣從邪牀禪十母純濁疑泥孃明微喻來日八母次濁總無所謂半清半濁不清不濁者故可尙也曲韻自中原音韻始分陰陽平明范善溱中州全韻始分陰陽

去後人又分陰陽上且於入聲之作平上去者均以陰陽分之其實陰陽之說未興清濁之名早立矣

曲辨聲音音之難知過於聲聲不過如平仄頓送陰陽而已音則有出字收音圓音尖音之別其理頗微未易悉言姑舉其槩曰蕭出西江出幾尤出移魚收于模收嗚齊收噫麻收哀巴切之音圓如其孝尖如齊笑

度曲須知謂字之頭腹尾音與切字之理相通切法即唱法余以爲唱法所用乃係合聲合聲者切法之尤精者也切字上一字爲母辨聲之清濁不論口法開合合聲則兼辨開合矣切字下一字爲韻辨口法開

合不論聲之清濁合聲則兼辨清濁矣且合聲法收聲不出影喻二母如哀噫嗚于皆是

事莫貴於眞知周挺齋不階古昔撰中原音韻永爲曲韻之祖明嘉隆閒江西魏良輔創水磨調始行於婁東後遂號爲崑腔眞知故也余謂曲可不度而聲音之道不可不知鄭漁仲七音略序云釋氏以參禪爲大悟以通音爲小悟夫小悟亦豈易言哉

張平子始言度曲西京賦所謂度曲未終雲起雪飛是也製曲者體此二語則於曲中揚抑之道思過半矣

王元美評曲謂北筋在絃南力在板可知元美時絃索之律猶有存者後此則知有板而已然板存即是絃

存沈君徵論板之正贈通於彈拍近之
樂記言聲歌各有宜歸於直已而陳德可知歌無今古皆取以正聲感人故曲之無益風化無關勸戒者君子不爲也
堯典末鄭注云歌所以長言詩之意聲之曲折又長言而爲之聲中律乃爲和周禮樂師鄭注云所爲合聲亦等其曲折使應節奏余謂曲之名義大抵即曲折之意漢書藝文志河南周歌聲曲折七篇周謠歌詩曲折七十五篇殆此類耶
詞曲本不相離惟詞以文言曲以聲言耳詞辭通左傳襄二十九年杜注云此皆各依其本國歌所常用聲

曲正義云其所作文辭皆準其樂音令宮商相和使成歌曲是辭屬文曲屬聲明甚古樂府有曰辭者有曰曲者其實辭卽曲之辭曲卽辭之曲也襄二十九年正義又云聲隨辭變曲盡更歌此可爲詞曲合一之證

藝槩卷四終

藝槩卷五

興化　劉熙載　融齋

書槩

聖人作易立象以盡意意先天書之本也象後天書之用也

與天爲徒與古爲徒皆學書者所有事也天當觀於其章古當觀於其變

周篆委備如石鼓是也秦篆簡直如嶧山琅邪臺等碑是也其辨可譬之麻冕與純焉

李斯作倉頡篇趙高作爰歷篇胡母敬作博學篇皆爲小篆而高敬之書迄無所存然安知不即雜於世所

篆書要如龍騰鳳翥觀昌黎歌石鼓可知或但取整齊而無變化則槧人優爲之矣

篆之所尚莫過於筋然筋患其弛亦患其急欲去兩病䟐筆自有訣也

魏初邯鄲生傳古文同時惟衞覬亦善之餘無聞焉葢古文有字學有書法必取相兼是以難也雖三代遺器款識後世亦多有從事者然但務識字已矜絕學使古人復作其遂饜志也耶

款識之學始興於北宋歐公集古錄稱劉原父博學好古能讀古人銘識考知其人事蹟每有所得必摹其文以見遺今觀毛伯敦龔伯彝叔高父煮鹽伯庶父

傳之小篆中耶衞恆書勢稱李斯篆并言漢建初中扶風曹喜少異於斯而亦稱善是喜固偉然足自立者後世乃傳有喜所書之大風歌書體甚非古雅不問而知爲僞物矣

玉筯之名僅可加於小篆舒元輿謂秦丞相斯變倉頡籀文爲玉筯篆是也顧論其別則頡籀不可爲玉筯論其通則分眞行草亦未嘗無玉筯之意存焉

玉筯在前懸針在後自有懸針而波磔鉤挑由是起矣懸針作於曹喜然籀文卻已豫透其法

孫過庭書譜云篆尚婉而通余謂此須婉而愈勁通而愈節乃可不然恐涉於描字也

敦諸銘載錄中者皆是也時太常博士楊南仲亦能讀古文篆籀原父釋韓城鼎銘公謂與南仲所寫時有不同蓋雖未判兩家孰是而古文之難讀見矣鄭漁仲金石略自晉姜鼎迄軹家釜列三代器名二百三十有七可不謂多乎然如未詳其辭何

古文字少故有無偏旁而當有偏旁者有語本兩字而書作一字者自大小篆興孳乳益多則無事此矣然大輅之中椎輪之質固在

隸與八分之先後同異辨而愈晦其失皆坐狹隸而寬分夫隸體有古於八分者故秦權上字爲隸有不及八分之古者故鍾王正書亦爲隸蓋隸其通名而八

分統矣稱錘可謂之鐵鐵不可謂之稱錘從事隸與八分者盍先審此

八分書分字有分數之分如書苑所引蔡文姬論八分之言是也有分别之分如說文之解八字是也自來論八分者不能外此兩意

書苑引蔡文姬言割程隸字八分取二分割李篆字二分取八分於是爲八分書此蓋以分字作分數解也然信如割取之說雖使八分隸二分篆其體猶古於他隸況篆八隸二不儼然篆矣乎是可知言之不出於文姬矣

凡隸體中皆暗包篆體欲以分數論分者當先問程隸

是幾分書雖程隸世已無傳然以漢隸逆推之當必不如閣帖中所謂程邈書直是正書也

王愔云次仲始以古書方廣少波勢建初中以隸草作楷法字方八分言有模楷吾邱衍學古編云八分者漢隸之未有挑法者也比秦隸則易識比漢隸則微似篆若用篆筆作漢隸字卽得之矣波勢與篆筆兩意雖合洪氏隸釋言漢字有八分有隸其學中絕不可分別非中絕也漢人本無成說也

王愔所謂字方八分者蓋字比於八之分也說文八別也象分別相背之形此雖非爲八分言之而八分之意法具矣

開通襃斜道石刻隸之古也祀三公山碑篆之變也延光殘碑夏承碑吳天發神讖碑差可附於八分篆二分隸之說然必以此等爲八分則八分少矣或曰鴻都石經乃八分體也

以參合篆體爲八分此後人亢而上之之言也以有波勢爲八分覺於始制八分情事差近

由大篆而小篆由小篆而隸皆是寖趨簡捷獨隸之於八分不然蕭子良謂王次仲飾隸爲八分飾字有整飭矜嚴之意

衞恆書勢言隸書者篆之捷卽繼之曰上谷王次仲始作楷法楷法實卽八分而初未明言直至敘梁鵠弟

子毛宏始云今八分皆宏法可知前此雖有分書終
嫌字少非出於假借則易窮於用至宏乃益之使成
大備耳

衞恆言王次仲始作楷法指八分也隸書簡省篆法取
便徒隸其後從流下而忘反俗陋日甚譬之於樂中
聲以降五降之後不容彈故八分者隸之節也八分
所重在字畫有常勿使增減遷就上亂古而下入俗
則楷法於是焉在非徒以波勢一端示別矣

鍾繇謂八分書爲章程書章程大抵以其字之合於功
令而言耳漢律以六體試學童隸書與焉吏民上書
字或不正輒舉劾是知一代之書必有章程章程既

明則但有正體而無俗體其實漢所謂正體不必如秦秦所謂正體不必如周後世之所謂正體由古人觀之未必非俗體也然俗而久則爲正矣後世欲識漢分孰合功令亦惟取其書古三從二而已

小篆秦篆也八分漢隸也秦無小篆之名漢無八分之名名之者皆後人也後人以籀篆爲大故小秦篆以正書爲隸故八分漢隸耳

書之有隸生於篆如音之有徵生於宮故篆取力弃氣長隸取勢險節短蓋運筆與奮筆之辨也

隸形與篆相反隸意卻要與篆相用以峭激蘊紆餘以倔強寓款婉斯徵品量不然如撫劒疾視適足以見

其無能爲耳

蔡邕作飛白王僧虔云飛白八分之輕者衞恆作散隸韋續謂迹同飛白顧曰飛曰白曰散其法不惟用之分隸此如垂露懸針皆是篆法他書亦恆用之

分數不必用以論分而可借以論書漢隸既可當小篆之八分書是小篆亦大篆之八分書正書亦漢隸之八分書也然正書自顧野王本說文以作玉篇字體閒有嚴於隸者其分數未易定之

未有正書以前八分但名爲隸既有正書以後隸不得不名八分名八分者所以別於今隸也歐陽集古錄於漢曰隸於唐曰八分論者不察其言外微旨則譏

其誤也亦宜

漢楊震碑隸體略與後世正書相近若吳衡陽太守葛府君碑則直是正書故評者疑之然鍾繇正書已在葛碑之前繇之死在魏太和四年其時吳猶未以長沙西部為衡陽郡也

唐太宗御撰王羲之傳曰善隸書為古今之冠或疑羲之未有分隸其實自唐以前皆稱楷字為隸如東魏大覺寺碑題曰隸書是也郭忠恕云八分破而隸書出此語可引作羲之傳注

正書雖統稱今隸而涂徑有別波磔小而鉤角隱近篆者也波磔大而鉤角顯近分者也

楷無定名不獨正書當之漢北海敬王睦善史書世以爲楷是大篆可謂楷也衛恆書勢云王次仲始作楷法是八分爲楷也又云伯英下筆必爲楷則是草爲楷也

以篆隸爲古以正書爲今此只是據體而言其實書之辨全在身分斤兩體其末也

世言漢劉德升造行書而晉衛恆傳但謂魏初有鍾胡二家爲行書法俱學之於劉德升初不謂行書自德升造也至三家之書品庾肩吾已論次之蓋德升中之上胡昭上之下鍾繇上之上云

行書有眞行有草行眞行近眞而縱於眞草行近草而

斂於草東坡謂眞如立行如行草如走行豈可同諸
立與走乎
行書行世之廣與眞書略等篆隸草皆不如之然從有
此體以來未有專論其法者葢行者眞之捷而草之
詳知眞草者之於行如繪事欲作碧綠只須會合靑
黃無庸別設碧綠料也
許叔重謂漢興有草書衞恒書勢謂草書不知作者姓
名至齊相杜度號善作篇云云是草固不始於度矣
或又以褚先生補史記嘗云謹論次其眞草詔書編
於左方遂謂孝武時已有草書然解人第以裨諶草
創屈原屬草稾例之且彼以眞草對言豈孝武時已

有眞書之目耶

章草章字乃章奏之章非指章帝前人論之備矣世誤以爲章帝由見閣帖有漢章帝書也然章草雖非出於章帝而閣帖所謂章帝書者當由集章草而成書斷稱張伯英善草書尤善章草閣帖張芝之書末一段字體方勻波磔分明與前數段不同與所謂章帝書卻同末段乃是章草而前僅可謂草書大抵章草用筆結字取乎有制孫過庭言章務檢而便蓋非檢不足以敬章也又如閣帖皇象草書亦章草法

章草有史游之章草蓋其急就章解散隸體簡略書之此猶未離乎隸也有杜度之章草蓋章帝愛其草書

令上表亦作草書是用則草實則草也至張伯英善
草書尤善章草故張懷瓘謂伯英章則勁骨天縱草
則變化無方以示別焉

黃長睿言分波磔者爲章草非此者但謂之草昔人亦
有謂各字不連緜曰章草相連緜曰今草者按草與
章草體宜純一世俗書或二者相間乃所謂以爲龍
又無角謂之蛇又有足者也

漢篆祀三公山碑屢字下半帶行草之勢隸書楊孟文
頌命字李孟初碑年字垂筆俱長兩字許亦與草類
然草已起於建初時不當强以莊周注郭象也

蕭子良云藁書者董仲舒欲言災異藁草未上卽爲藁

書按此所謂稾其字體不可得而知矣可知者如章續言稾者行草之文近是

周興嗣千字文杜稾鍾隸稾之名似乎惟草當之然黃山谷於顏魯公祭伯父濠州刺史文稾謂其眞行草法皆備可見稾不拘於一格矣

書家無篆聖隸聖而有草聖蓋草之道千變萬化執持尋逐失之愈遠非神明自得者孰能止於至善耶

他書法多於意草書意多於法故不善言草者意法相害善言草者意法相成草之意法與篆隸正書之意法有對待有旁通若行固草之屬也

移易位置增減筆畫以草較眞有之以草較草亦有之

學草者移易易知而增減每不盡解蓋變其短長肥瘦皆是增減非止多一筆少一筆之謂也

草書結體貴偏而得中偏如上有偏高偏低下有偏長偏短兩旁有偏爭偏讓皆是

庸俗行草結字之體尤易犯若上與左小而瘦下與右大而肥其橫竪波磔用筆之輕重亦然

古人草書空白少而神遠空白多而神密俗書反是

懷素自述草書所得謂觀夏雲多奇峯嘗師之然則學草者徑師奇峯可乎曰不可蓋奇峯有定質不若夏雲之奇峯無定質也

昔人言爲書之體須入其形以若坐若行若飛若動若

往若來若臥若起若愁若喜狀之取不齊也然不齊之中流通照應必有大齊者存故辨草者尤以書脈爲要焉

草書尤重筆力蓋草勢尚險凡物險者易顚非具有大力奚以固之

草書之筆畫要無一可以移入他書而他書之筆意草書卻要無所不悟

地師相地先辨龍之動不動直者不動而曲者動蓋猶草書之用筆也然明師之所謂曲直與俗師之所謂曲直異矣

草書尤重筋節若筆無轉換一直溜下則筋節亡矣雖

氣脈雅尚緜亘然總須使前筆有結後筆有起明續
暗斷斯非浪作

草書渴筆本於飛白用渴筆分明認眞其故不自渴筆
始必自每作一字筆筆皆能中鋒雙鉤得之

正書居靜以治動草書居動以治靜

草書比之正書要使畫省而意存可於爭讓向背間悟
得

欲作草書必先釋智遺形以至於超鴻濛混希夷然後
下筆古人言匆匆不及草書有以也

書凡兩種篆分正爲一種皆詳而靜者也行草爲一種
皆簡而動者也

石鼓文韋應物以爲文王鼓韓退之以爲宣王鼓總不離乎周鼓也而通志金石略序云三代而上惟勒鼎彝秦人始大其制而用石鼓始皇欲詳其文而用豐碑故金石略列秦篆之目以石鼓居首夫謂秦用鼓事或有之然未見卽爲遊車既工之鼓不然何以是鼓之辭醇字古與豐碑顯異耶

祀巫咸大湫文俗呼詛楚文字體在大小篆閒論小篆者謂始於秦而不始於李斯引此文爲證蓋以爲秦惠文王時書也然通志金石略作李斯篆其必有所考與

閣帖以正書爲程邈隸書蓋因張懷瓘有程邈造字皆

眞正之言然如漢隸開通褒斜道石刻其字何嘗不
眞正哉亦何嘗不與後世之正書異也
漢人書隸多篆少而篆體方扁每駸駸欲入於隸惟少
室開母兩石闕銘雅潔有制差覺上蔡法程於茲未
遠
集古錄跋尾云余家集古所錄三代以來鐘鼎彝器銘
刻備有至後漢以來始有碑文欲求前漢時碑碣卒
不可得是則冢墓碑自後漢以來始有也案前漢墓
碑固無即他石刻亦少此魯孝王之片石所以倍增
光價與
漢碑蕭散如韓勑孔宙嚴密如衡方張遷皆隸之盛也

若華山廟碑旁礴鬱積瀏灕頓挫意味尤不可窮極

華山郭泰夏承郙閣晉峻石經范式諸碑皆世所謂蔡邕書也乙瑛韓勑上尊號受禪諸碑皆世所謂鍾繇書也邕之死繇之始仕皆在獻帝初談漢碑者遇前輒歸蔡遇後輒歸鍾附會猶爲近似至乙瑛韓勑二碑時在鍾前范式碑時在蔡後則尤難解然前人固有解之者矣

蔡邕洞達鍾繇茂密余謂兩家之書同道洞達正不容鍼茂密正能走馬此當於神者辨之

稱鍾繇梁鵠書者必推乙瑛孔羨二碑蓋一則神超一則骨鍊也乙瑛碑時在鍾前自非追立難言出於鍾

手至孔羨則更無疑其非梁書者上尊號碑及受禪碑書人爲鍾爲梁所傳無定其書愈工而垢彌甚非書之累人乃人之累書耳

正行二體始見於鍾書其書之大巧若拙後人莫及蓋由於分書先不及也過庭書譜謂元常不草殆亦如伯昏無人所云不射之射乎

崔子玉草書勢云放逸生奇又云一畫不可移奇與不可移合而一之故難也今欲求子玉草書自閣帖所摹之外不少槩見然兩言津逮足當妙蹟已多矣

張伯英草書隔行不斷謂之一筆書蓋隔行不斷在書體均齊者猶易惟大小疏密短長肥瘦倏忽萬變而

能潛氣內轉乃稱神境耳

評鍾書者謂如盛德君子容貌若愚此易知也評張書者謂如班輸構堂不可增減此難知也然果能於鍾究拙中之趣亦漸可於張得放中之矩矣

晉隸爲宋齊所難繼而孫夫人碑及呂望表尤爲晉隸之最論者以其峻整超逸分比梁鍾非過也

索幼安分隸前人以韋誕鍾繇衛瓘比之而尤以草書爲極詣其自作草書狀云或若俶儻而不羣或若自檢其常度惟俶儻而彌自檢是其所以眞能俶儻與

索靖書如飄風忽舉鷙鳥乍飛其爲沈著痛快極矣論者推之爲北宗以歐陽信本書爲其支派說亦近是

然三日觀碑之事不足引也

右軍樂毅論畫像贊黃庭經太師箴蘭亭序告誓文孫過庭書譜論之推極情意神思之微在右軍爲因物在過庭亦爲知本也已

右軍自言見李斯曹喜梁鵠等字見蔡邕石經於從弟洽處復見張昶華嶽碑是其書之取資博矣或第以爲王導攜宣示表過江輒謂東晉書法不出此表以隱寓微辭於逸少蓋以見王書不出鍾繇之外而宣示之在鍾書又不及十一也然使平情而論當不出此

右軍書不言而四時之氣亦備所謂中和誠可經也以

毗剛毗柔之意學之總無是處

右軍書以二語評之曰力屈萬夫韻高千古羲之之器量見於郗公求壻時東牀坦腹獨若不聞宜其書之靜而多妙也經綸見於規謝公以虛談廢務浮文妨要宜其書之實而求是也

唐太宗著王羲之傳論謂蕭子雲無丈夫氣以明逸少之盡善盡美顧後來名爲似逸少者其無丈夫之氣甚於子雲遂致昌黎有羲之俗書趁姿媚之句然逸少不任咎也

黃山谷云大令草書殊迫伯英所以中間論書者以右軍草入能品而大令草入神品余謂大令擅奇固尤

在草然論大令書不必與右軍相較也
大令洛神十三行黃山谷謂宋宣獻公周膳部少加筆力亦可及此此似言之太易然正以明大令之書不惟以妍妙勝也其保母磚志近代雖祇有摹本卻尙存勁質之意學晉書者固尤當以勁質先之
清恐人不知不如恐人知子敬書高致逸氣視諸右軍其如胡威之於父質乎
集古錄謂南朝士人氣尙卑弱字書工者率以纖勁清媚爲佳斯言可以矯枉而非所以持平南書固自有高古嚴重者如陶貞白之流便是而右軍雄強無論矣

瘞鶴銘剝蝕已甚然存字雖少其舉止歷落氣體宏逸令人味之不盡書人本難確定主名其以爲出於貞白者特較言逸少顧況爲近耳

瘞鶴銘用筆隱通篆意與後魏鄭道昭書若合一契此可與究心南北書者共參之蔡忠惠乃云元魏間盡習隸法自隋平陳多以楷隸相參瘞鶴文有楷隸筆嘗是隋代書其論北書未嘗推本於篆故論鶴銘亦未盡肯也

索征西書世所奉爲北宗者然蕭子雲臨征西書世便判作索書南書顧可輕量也哉

歐陽集古錄跋王獻之法帖云所謂法帖者率皆弔哀

候病敘睽離通訊問施於家人朋友之間不過數行而已蓋其初非用意而逸筆餘興淋漓揮灑或妍或醜百態橫生使人驟見驚絕守而視之其意態愈無窮盡至於高文大冊何嘗用此案高文大冊非碑而何公之言雖詳於論帖而重碑之意亦見矣

晉氏初禁立碑語見任彥昇爲范始興作求立太宰碑表宋義熙初裴世期表言碑銘之作以明示後昆自非殊功異德無以允應茲典俗敝僞興華煩已久不加禁裁其敝無已則知當日視立碑爲異數矣此禁至齊未弛故范表之所請卒寢不行北朝未有此禁是以碑多竇臮述書賦列晉宋齊梁陳至一百四十

五八向使南朝無禁安知碑蹟之盛不駕北而上之耶

西晉索靖衞瓘善書齊名靖本傳言瓘筆勝靖然有楷法遠不及靖此正見論兩家者不可畸爲輕重也瓘之書學上承父覬下開子恆而靖未詳受授要之兩家皆並籠南北者也渡江以來王謝郗庾四氏書家最多而王家羲獻世罕倫比遂爲南朝書法之祖其後擅名宋代莫如羊欣實親受於子敬齊莫如王僧虔梁莫如蕭子雲淵源俱出二王陳僧智永尤得右軍之髓惟善學王者率皆本領是當苟非骨力堅強而徒摹擬形似此北派之所由詡南宗與

論北朝書者上推本於漢魏若經石峪大字雲峰山五言鄭文公碑刁惠公志則以爲出於乙瑛若張猛龍賈使君魏靈藏楊大眼諸碑則以爲出於孔羨余謂若由前而推諸後唐褚歐兩家書派亦可準是辨之

歐陽公跋東魏魯孔子廟碑云後魏北齊時書多如此筆畫不甚佳然亦不俗而往往相類疑其一時所尚當自有法跋北齊常山義七級碑云字畫佳往往有古法余謂北碑固長短互見不容相掩然所長已不可勝學矣

北朝書家莫盛於崔盧兩氏魏書崔元伯傳詳元伯之善書云元伯祖悅與范陽盧諶並以博藝著名諶法

鍾繇悅法衞瓘而俱習索靖之草皆盡其妙諶傳子偃偃傳子邈悅傳子潛潛傳元伯世不替業故魏初重崔盧之書觀此則崔盧家風豈下於南朝羲獻哉惟自隋以後唐太宗表章右軍明皇篤志大令桓山頌其批答至有桓山之頌復在於茲之語及宋太宗復尚二王其命翰林侍書王著摹閣帖雖博取諸家歸趣實以二王爲主以故藝林久而成習與之言羲獻則怡然與之言悅諶則惘然況悅諶以下者乎

篆尚婉而通南帖似之隸欲精而密北碑似之

北書以骨勝南書以韻勝然北自有北之韻南自有南之骨也

南書溫雅北書雄健南如袁宏之牛渚諷詠北如斛律金之勅勒歌然此祇可擬一得之士若母羣物而腹衆才者風氣固不足以限之

蔡君謨識隋丁道護啟法寺碑云此書兼後魏遺法隋唐之交善書者衆皆出一法道護所得最多歐陽公於是碑跋云隋之晚年書家尤盛吾家率更與虞世南皆當時人也後顯於唐遂爲絕筆余所集錄開皇仁壽大業時碑頗多其筆畫率皆精勁由是言可知歐虞與道護若合一契而魏之遺法所被廣矣推之隋龍藏寺碑歐陽公以爲字畫遒勁有歐虞之體後人或謂出東魏李仲琁敬顯儁二碑葢猶此意惜書

人不可考耳

永禪師書東坡評以骨氣深穩體兼衆妙精能之至反造疏澹則其實境超詣爲何如哉今摹本千文世尙多有然律以東坡之論相去不知幾由旬矣

李陽冰學嶧山碑得延陵季子墓題字而變化其白論書也謂於天地山川日月星辰雲霞草木文物衣冠皆有所得雖未嘗顯以篆訣示人然已示人畢矣

李陽冰篆活潑飛動全由力能舉其身一切書皆以身輕爲尙然除郤長力別無輕身法也

唐碑少大篆賴碧落碑以補其闕然凡書之所以傳者必以筆法之奇不以託體之古也李肇國史補言李

陽冰見此碑寢臥其下數日不能去論者以爲陽冰篆筆過於此碑不應傾服至此則亦不然蓋人無陽冰之學焉知其所以傾服也即其書不及陽冰然右軍書師王廙及其成也過廙遠甚靑出於藍事固多有謂陽冰必嘗視此碑夫豈所以爲陽冰哉至書者或爲陳惟玉或爲李譔前人已不能定矣

元吾邱衍謂李陽冰即杜甫甥李潮論者每不然之觀唐書宰相世系表趙郡李氏蘿門子長湜次澥字堅氷次陽冰潮之爲名與湜澥正復相類陽冰與堅冰似皆爲字或始名潮字陽冰後以字爲名而別字少溫未可知也且杜詩云況潮小篆逼秦相而歐陽集

古錄未有潮篆鄭漁仲金石略於唐篆家陽冰外但列唐元度李庚王遹諸人亦不及潮何也

李陽冰篆書自以爲斯翁之後直至小生然歐陽集古錄論唐篆於陽冰之前稱王遹於其後稱李靈省則當代且非無人而況於古乎

唐八分杜詩稱韓擇木蔡有鄰李潮三家歐陽六一合之史維則稱四家四家書之傳世者史多於韓韓多於蔡李惟慧義寺彌勒像碑彭元曜墓志載於趙氏金石錄何寥寥也吾邱衍疑潮與陽冰爲一人則篆既盛傳分雖少可無憾矣

歐陽文忠於唐八分尤推韓史李蔡四家夫四家固卓

爲書傑而四家外若張璪瞿令問顧戒奢張庭珪胡証梁升卿韓秀榮秀弼秀實劉升陸堅李菩周艮弼史鎬盧曉各以能鳴亦未可謂餘子碌碌也近代或專言漢分比唐於自鄶以下其亦過矣

唐隸規模出於魏碑者十之八九其骨力亦頗近之大抵嚴整警策是其所長

論唐隸者謂唐初歐陽詢薛純陁殷仲容諸家漢魏遺意尚在至開元間則變而卽遠此以氣格言也然力量在人不因時異更當觀之

言隸者多以漢爲古雅幽深以唐爲平滿淺近然蔡有鄰尉遲迥碑廣川書跋謂當與鴻都石經相繼何嘗

於漢唐過分畛域哉至有鄭興唐寺石經藏讚歐陽公謂與三代器銘何異論雖似過亦所謂以我不平破汝不平也

後魏孝文弔比干墓文體雜篆隸相傳爲崔浩書東魏李仲琁修孔子廟碑隋曹子建碑皆衍其流者也唐景龍觀鐘銘蓋亦效之然頗能節之以禮

唐僧懷仁集聖教序古雅有淵致黃長睿謂碑中字與右軍遺帖所有者纖微克肖今遺帖之是非難辨轉以此證遺帖可矣或言懷仁能集此序何以他書無足表見然更何待他書之表見哉

學聖敎者致成爲院體起自唐吳通微至宋高崇望白

崇矩益貽口實故蘇黃論書但盛稱顏尚書楊少師以見與聖教別異也其實顏楊於聖教如禪之翻案於佛之心印取其明離暗合院體乃由死於句下不能下轉語耳小禪自縛豈佛之過哉

唐人善集右軍書者懷仁聖教序外推僧大雅之吳文碑聖教行世固爲尤盛然此碑書足備一宗蓋聖教之字雖間有峭勢而此則尤以峭尚想就右軍書之峭者集之耳唐太宗御製王羲之傳曰勢如斜而反正觀此乃益有味其言

虞永興書出於智永故不外耀鋒芒而內涵筋骨徐季海謂歐虞爲鷹隼歐之爲鷹隼易知虞之爲鷹隼難

知也

學永興書第一要識其筋骨勝肉綜昔人所以稱廟堂碑者是何精神而展轉翻刻往往入於膚爛在今日則轉不如學昭仁寺碑矣

論唐人書者別歐褚爲北派虞爲南派蓋謂北派本隸欲以此尊歐褚也然虞正自有篆之玉筋意特主張北書者不肯道耳

王紹宗書似虞伯施觀王徵君靑石銘可見紹宗與人書嘗言鄙夫書無工者又言吳中陸大夫嘗以余比虞君以不臨寫故也數語乃書家眞實義諦不知者則以爲好作勝解矣

率更化度寺碑筆短意長雄健彌復深雅評者但謂是直木曲鐵法如介胄有不可犯之色未盡也或移以評蘭臺道因則近耳

大小歐陽書並出分隸觀蘭臺道因碑有批法則顯然隸筆矣或疑蘭臺學隸何不盡化其跡然初唐猶參隋法不當以此律之

東坡評褚河南書淸遠蕭散張長史告顏魯公述河南之言謂藏鋒畫乃沈著兩說皆足爲學褚者之資然有看繡度鍼之別

褚河南書爲唐之廣大敎化主顏平原得其筋徐季海之流得其肉而季海不自謂學褚未盡轉以翬翟爲

譏何詩也

褚書伊闕佛龕碑兼有歐虞之勝至慈恩聖教或以王行滿聖教擬之然王書雖縝密流動終遜其逸氣也

唐歐虞兩家書各占一體然上而溯之自東魏李仲琁敬顯儁二碑已可觀其會通不獨歐陽六一以有歐虞體評隋龍藏寺也

歐虞並稱其書方圓剛柔交相爲用善學虞者和而不流善學歐者威而不猛

歐褚兩家並出分隸於遒逸二字各得所近若借古書評評之歐其如龍威虎震褚其如鶴遊鴻戲乎

虞永興掠磔亦近勒努褚河南勒努亦近掠磔其關捩

隱由篆隸分之

陸柬之之書渾勁薛稷之書清深陸出於虞薛出於褚世或稱歐虞褚薛或稱歐虞褚陸得非以宗尙之異而漫爲軒輊耶

唐初歐虞褚外王知敬趙模兩家書皆精熟遒逸在當時極爲有名知敬書李靖碑模書高士廉碑旣已足徵意法而同時有書佳而不著書人之碑潛鑒者每謂出此兩家之手書至於此猶不得儕歐虞之列此登嶽者所以必淩絕頂哉

孫過庭草書在唐爲善宗晉法其所書書譜用筆破而愈完紛而愈治飄逸愈沈著婀娜愈剛健

孫過庭書譜謂古質而今姸而自家書卻是姸之分數居多試以旭素之質比之自見

李北海書氣體高異所難尤在一點一畫皆如拋磚落地使人不敢以虛憍之意擬之

李北海書以拗峭勝而落落不涉作爲昧其解者有意低昂走入佻巧一路此北海所謂似我者俗學我者死也

李北海徐季海書多得異勢然所恃全在筆力東坡論書謂守駿莫如跛余亦謂用跛莫如駿焉

過庭書譜稱右軍書不激不厲杜少陵稱張長史草書豪蕩感激實則如止水流水非有二水也

張長史眞書郎官石記東坡謂作字簡遠如晉宋間人論者以爲知言然學張草者往往未究其法先挾狂怪之意豈知草固出於其眞而長史之眞何如哉山谷言京洛間人傳摹狂怪字不入右軍父子繩墨者皆非長史筆審此而長史之眞出矣

學草書者探本於分隸二篆自以爲不可尙矣張長史得之古鐘鼎銘科斗篆卻不以觭見之此其視彼也不猶海若之於河伯耶

韓昌黎謂張旭書變動猶鬼神不可端倪此語似奇而常夫鬼神之道亦不外屈信闔闢而已

長史懷素皆祖伯英今草長史千文殘本雄古深邃逈

焉寫僞懷素大小字千文或謂非眞顧精神雖遜長史其機勢自然當亦從原本脫胎而出至聖母帖又見與二王之門庭不異也

張長史書悲喜雙用懷素書悲喜雙遣

旭素書可謂謹嚴之極或以爲顚狂而學之與宋向氏學盜何異旭素必謂之曰若失顚狂之道至此乎

顏魯公書自魏晉及唐初諸家皆歸檃括東坡詩有顏公變法出新意之句其實變法得古意也

顏魯公正書或謂出於北碑高植墓志及穆子容所書太公呂望表又謂其行書與張猛龍碑後行書數行相似此皆近之然魯公之學古何嘗不多連博貫哉

歐虞褚三家之長顔公以一手擅之使歐見郭家廟碑虞褚見宋廣平碑必且撫心高蹈如師襄之發歎於師文矣

魯公書宋廣平碑紆餘蘊藉令人味之無極然亦實無他奇只是從梅花賦傳神寫照耳至前人謂其從瘞鶴銘出亦爲知言

坐位帖學者苟得其意則自運而輒與之合故評家謂之方便法門然必胸中具旁礴之氣腕間贍眞實之力乃可語庶乎之詣不然雖字摹畫擬終不免如莊生所謂似人者矣

顔魯公書書之汲黯也阿世如公孫宏舞智如張湯無

一可與並立

或問顏魯公書何似曰似司馬遷懷素書何似曰似莊子曰不以一沈著一飄逸乎曰必若此言是謂馬不飄逸莊不沈著也

蘇靈芝之書世或與李泰和顏淸臣徐季海並稱然靈芝書但安帖舒暢其於李之倜儻顏之雄毅徐之韻度皆遠不能逮而所書之碑甚多歐陽六一謂唐有寫經手如靈芝者亦可謂唐之寫碑手矣

柳誠懸書李晟碑出歐之化度寺元祕塔出顏之郭家廟至如沂州普照寺碑雖係後人集柳書成之然剛健含婀娜乃與褚公神似焉

裴公美書大段宗歐米襄陽評之以眞率可愛眞率二字最爲難得陶詩所以過人者在此

秦碑力勁漢碑氣厚一代之書無有不肖乎一代之人與文者金石略序云觀晉人字畫可見晉人之風猷觀唐人書蹤可見唐人之典則諒哉

五代書蘇黃獨推楊景度今但觀其書之尤傑然者如大仙帖非獨勢奇力强其骨裏謹嚴眞令人無可尋間此不必沾沾於摹顏擬柳而顏柳之實已備矣

楊景度書機括本出於顏而加以不衫不履遂自成家然學楊者尤貴筆力足與抗行不衫不履其外焉者也

卽行書醉翁亭記便可見之其正書字間櫛比近顏書東方畫讚者爲多然未嘗不自出新意也

端州石室記或以爲張庭珪書或以爲李北海書東坡正書有其傲岸旁礴之氣

黃山谷論書最重一韻字蓋俗氣未盡者皆不足以言韻也觀其書嵇叔夜詩與姪榎稱其詩無一點塵俗氣因言士生於世可以百爲惟不可俗俗便不可醫是則其去俗務盡也豈惟書哉卽以書論識者亦覺鶴銘之高韻此堪追嗣矣

米元章書大段出於河南而復善摹各體當其刻意宗古一時有集字之譏迨旣自成家則惟變所適不得

以轍迹求之矣

米元章書脫落凡近雖時有諧氣而諧不傷雅故高流鮮或訾之

宋辥紹彭道祖書得二王法而其傳也不如唐人高正臣張少悌之流盖以其時蘇黃方尚變法故循循晉法者見絀也然如所書樓觀詩雅逸足名後世矣

或言游定夫先生多草書於其人似乎未稱曰草書之律至嚴爲之者不惟膽大而在心小只此是學豈獨正書然哉

書重用筆用之存乎其人故善書者用筆不善書者爲筆所用

蔡中郎九勢云令筆心常在點畫中行後如徐鉉小篆畫之中心有一縷濃墨正當其中至於屈折處亦當中無有偏側處蓋得中郎之遺法者也

每作一畫必有中心有外界中心出於主鋒外界出於副毫鋒要始中終俱實毫要上下左右皆齊

起筆欲斗峻住筆欲峭拔行筆欲充實轉筆則兼乎住起行者也

逆入澀行緊收是行筆要法如作一橫畫往往末大於本中減於兩頭其病坐不知此耳豎撇捺亦然

筆心帥也副毫卒徒也卒徒更番相代帥則無代論書者每曰換筆心實乃換向非換質也

張長史書微有點畫處意態自足當知微有點畫處皆是筆心實實到了不然雖大有點畫筆心卻反不到何足之可云

中鋒側鋒藏鋒露鋒實鋒虛鋒全鋒半鋒似乎鋒有八矣其實中藏實全祗是一鋒側露虛半亦祗是一鋒也

中鋒畫圓側鋒畫扁舍鋒論畫足外固有迹耶

書用中鋒如師直爲壯不然如師曲爲老兵家不欲自老其師書家奈何異之

要筆鋒無處不到須是用逆字訣勒則鋒右管左努則鋒下管上皆是也然亦只暗中機括如此著相便非

書以側勒努趯策掠啄磔爲八法凡書下筆多起於一
點即所謂側也故側之一法足統餘法欲辨鋒之實
與不實觀其側則思過半矣

畫有陰陽如横則上面爲陽下面爲陰竪則左面爲陽
右面爲陰惟毫齊者能陰陽兼到否則獨陽而已

書能筆筆還其本分不稍閃避取巧便是極詣永字八
法只是要人横成横竪成竪耳

蔡中郎云筆輭則奇怪生焉余按此一輭字有獨而無
對蓋能柔能剛之謂輭非有柔無剛之謂輭也

凡書要筆筆按筆筆提辨按尤當於起筆處辨提尤當
於止筆處

書家於提按兩字有相合而無相離故用筆重處正須飛提用筆輕處正須實按始能免墮飄二病

書有振攝二法索靖之筆短意長善攝也陸柬之之節節加勁善振也

行筆不論遲速期於備法善書者雖速而法備不善書者雖遲而法遺然或遂貴速而賤遲則又誤矣

古人論用筆不外疾澀二字澀非遲也疾非速也以遲速爲疾澀而能疾澀者無之

用筆者皆習聞澀筆之說然每不知如何得澀惟筆方欲行如有物以拒之竭力而與之爭斯不期澀而自澀矣澀法與戰掣同一機竅第戰掣有形強效轉至

成病不若澀之隱以神運耳

筆有用完有用破屈玉垂金古槎怪石於此別矣

書以筆爲質以墨爲文凡物之文見乎外者無不以質
有其內也

孫子云勝兵先勝而後求戰敗兵先戰而後求勝此意
通之於結字必先隱爲部署使立於不敗而後下筆
也字勢有因古有自構因古難新自構難穩總由先
機未得焉耳

欲明書勢須識九宮九宮尤莫重於中宮中宮者字之
主筆是也主筆或在字心亦或在四維四正書著眼
在此是謂識得活中宮如陰陽家旋轉九宮圖位起

一白終九紫以五黃爲中宮五黃何嘗必在戊己哉

畫山者必有主峰爲諸峰所拱向作字者必有主筆爲餘筆所拱向主筆有差則餘筆皆敗故善書者必爭此一筆

字之爲義取孳乳浸多言孳乳則分形而同氣可知也故凡書之仰承俛注左顧右盼皆欲無失其同焉而已

結字疏密須彼此互相乘除故疏不嫌疏密不嫌密也然乘除不惟於疏密用之

字形有內抱有外抱如上下二橫左右兩豎其有若弓之背向外弦向內者內抱也背向內弦向外者外抱

也篆不全用內抱而內抱爲多隸則無非外抱辨正行草書者以此定其消息便知於篆隸孰爲出身矣

字體有整齊有參差整齊取正應也參差取反應也

書要曲而有直體直而有曲致若弛而不嚴剽而不留則其所謂曲直者誤矣

書一於方者以圓爲模棱一於圓者以方爲徑露盍思地矩天規不容偏有取舍

書宜平正不宜攲側古人或偏以攲側勝者暗中必有撥轉機關者也畫訣有樹木正山石倒山石正樹木倒豈可執一石一木論之

論書者謂晉人尚意唐人尚法此以觚棱間架之有無

別之耳實則晉無觚棱閒架而有無觚棱之觚棱無

閒架之閒架是亦未嘗非法也唐有觚棱閒架而諸

名家各自成體不相因襲是亦未嘗非意也

書之章法有大小小如一字及數字大如一行及數行

一幅及數幅皆須有相避相形相呼相應之妙

凡書筆畫要堅而渾體勢要奇而穩章法要變而貫

書之要統於骨氣二字骨氣而曰洞達者中透爲洞邊

透爲達洞達則字之疏密肥瘦皆善否則皆病

字有果敢之力骨也有含忍之力筋也用骨得骨故取

指實用筋得筋故取腕懸

衞瓘善草書時人謂瓘得伯英之筋猶未言骨衞夫人

筆陣圖乃始以多骨豐筋並言之至范文正祭石曼卿文有顏筋柳骨之語而筋骨之辨愈明矣

書少骨則致誚墨豬然骨之所尚又在不枯不露不然如髑髏固非少骨者也

骨力形勢書家所宜並講必欲識所尤重則唐太宗已言之曰求其骨力而形勢自生

書要兼備陰陽二氣大凡沈著屈鬱陰也奇拔豪達陽也

高韻深情堅質浩氣缺一不可以爲書

凡論書氣以士氣爲上若婦氣兵氣村氣市氣匠氣腐氣傖氣俳氣江湖氣門客氣酒肉氣蔬筍氣皆士之

棄也

書要力實而氣空然求空必於其實未有不透紙而能離紙者也

書要心思微魄力大微者條理於字中大者旁礴乎字外

筆畫少處力量要足以當多瘦處力量要足以當肥信得多少肥瘦形異而實同則書進矣

司空表聖之二十四詩品其有益於書也過於庾子愼之書品蓋庾品祇爲古人標次第司空品足爲一己陶胸次也此惟深於書而不狃於書者知之

書與畫異形而同品畫之意象變化不可勝窮約之不

出神能逸妙四品而已

論書者曰蒼曰雄曰秀余謂更當益一深字凡蒼而涉於老禿雄而失於麤疏秀而入於輕靡者不深故也

靈和殿前之柳令人生愛孔明廟前之柏令人起敬以此論書取姿致何如尚氣格耶

學書者始由不工求工繼由工求不工不工者工之極也莊子山木篇曰既雕既琢復歸於樸善夫

怪石以醜爲美醜到極處便是美到極處一醜字中邱壑未易盡言

俗書非務爲妍美則故託醜拙美醜不同其爲爲人之見一也

書家同一尚熟而熟有精麤深淺之別惟能用生爲熟熟乃可貴自世以輕俗滑易當之而眞熟亡矣

書非使人愛之爲難而不求人愛之爲難蓋有欲無欲書之所以別人天也

學書者務益不如務損其實損即是益如去寒去俗之類去得盡非益而何

書要有爲又要無爲脫略安排俱不是

洛書爲書所託始洛書之用五行而已五行之性五常而已故書雖學於古人實取諸性而自足者也

書陰陽剛柔不可偏陂大抵以合於虞書九德爲尚

揚子以書爲心畫故書也者心學也心不若人而欲書

之過人其勤而無所也宜矣

寫字者寫志也故張長史授顏魯公曰非志士高人詎可與言要妙

宋畫史解衣槃礴張旭脫帽露頂不知者以爲肆志知者服其用志不紛

筆性墨情皆以其人之性情爲本是則理性情者書之首務也

鍾繇筆法曰筆迹者界也流美者人也右軍蘭亭序言因寄所託取諸懷抱似亦隱寓書旨

張融云非恨臣無二王法恨二王無臣法余謂但觀此言便知其善學二王儻所謂見過於師僅堪傳授者

耶

唐太宗論書曰吾之所爲皆先作意是以果能成虞世南作筆髓其一爲辨意蓋書雖重法然意乃法之所受命也

東坡論吳道子畫出新意於法度之中寄妙理於豪放之外推之於書但尚法度與豪放而無新意妙理末矣

學書通於學仙鍊神最上鍊氣次之鍊形又次之

書貴入神而神有我神他神之別入他神者我化爲古也入我神者古化爲我也

觀人於書莫如觀其行草東坡論傳神謂具衣冠坐斂

容自持則不復見其天莊子列禦寇篇云醉之以酒而觀其則皆此意也

書如也如其學如其才如其志總之曰如其人而已賢哲之書温醇駿雄之書沈毅畸士之書歷落才子之書秀穎

書可觀識筆法字體彼此取舍各殊識之高下存焉矣揖讓騎射兩人各善其一不如并於一人故書以才度相兼爲上

書尚清而厚清厚要必本於心行不然書雖幸免薄濁亦但爲他人寫照而已

書當造乎自然蔡中郎但謂書肇於自然此立天定人

尙未及乎由人復天也

學書者有二觀曰觀物曰觀我觀物以類情觀我以通德如是則書之前後莫非書也而書之時可知矣

杜元凱左傳序云先經以始事後經以終義依經以辯理錯經以合異余謂經義用此法操之便得其要經者題也先之後之依之錯之者文也

凡作一篇文其用意俱要可以一言蔽之擴之則爲千萬言約之則爲一言所謂主腦者是也破題起講扼定主腦承題八比則所以分攄乎此也主腦皆須廣大精微尤必審乎章旨節旨句旨之所當重者而重之不可硬出意見主腦既得則制動以靜治煩以簡一綫到底百變而不離其宗如兵非將不御射非鵠不志也

昔人論文謂未作破題文章由我既作破題我由文章

余謂題出於書者可以斡旋題出於我者惟抱定而
已破題者我所出之題也
文莫貴於尊題尊題自破題起講始承題及分比只是
因其已尊而尊之尊題者將題說得極有關係乃見
文非苟作
破題是個小全篇人皆知破題有題面有題意以及分
合明暗反正倒順探本推開代說斷做照下繳上諸
法不知全篇之神奇變化此爲見端
有認題有肖題善認題故題外無文善肖題故文外無
題
文之要曰識曰力識見於認題之眞力見於肖題之盡

認題肖題全在善於讀題春秋僖二十一年穀梁傳云以重辭也宣七年傳云而緩辭也文家重讀輕讀急讀緩讀之法此已開之

肖題者無所不肖也肖其神肖其氣肖其聲肖其貌有題字處切以肖之無題字處補以肖之自非肖題則讀題認題亦歸於無用矣

題有筋有節文家辨得一節字則界畫分明辨得一筋字則脈絡聯貫

題有題眼文有文眼題眼或在題中實字或在虛字或在無字處文眼即文之注意實字虛字無字處是也

有題要有題緒善扼題要所以統題緒也善理題緒所

以拱題要也
章旨在本題者闡本題即所以闡章旨也章旨在上下
文者必以本題攝之攝有三位實字虛字無字處
有題面與題意同者有題面與題意異者實與而文不
與實不與而文與皆所謂異也
題義有而文無是謂減題題義無而文有是謂添題文
貴如題或減或添俱失之
題有平有串做法未嘗不通蓋在平題爲分做者在串
題爲截做在平題爲總做者在串題爲滾做也至宜
分宜截宜總宜滾善相題者自知之
問分做截做與總做滾做其文之意義何倘曰分截取

乎結實總滚取乎空靈
題字句少則宜用拆字訣字句多則宜用幷字訣雖用幷字訣然緊要之字句仍須特說是亦未嘗非拆字也
拆題字法如數字各爲一義一字自爲數義皆是也拆句拆節亦如之
拆字訣有似於反如題言不可如此文先說如此文說可如此後說不可如此其說如此與可如此處即似反矣其實乃拆字也
題前有豫作題後有補作題中亦補作亦豫作
題前題後不必全題之前全題之後也如題有三層一

層之後卽二層之前二層之後卽三層之前而一層乃復有前三層乃復有後也

文有攻棱補窪二法攻棱做題字也補窪做題問也

題有題縫題縫中筆法有四曰急脈緩受緩脈急受直脈曲受曲脈直受

題縫不獨兩截題有之凡由題中此字說到彼字彼字說到此字欲到未到之間皆是

題兼虛實字者文則有坐虛呼實坐實呼虛二法題兼上下句者文則有坐上呼下坐下呼上二法此猶地師相地有空滿二向順逆二局也

題字有重有輕詳重略輕文之常也然亦有不詳而固

已重之不略而固已輕之者存乎其神之向背也

點題字緩急蓄洩之異皆從題之眞際涵泳得之先點必後後做後點必先做先點以開下後點以結上後經終義先經始事點者乃經也

點題字有明有暗如作破題明破爲破暗破亦爲破也但須相其宜而行之

點題字要自然又戒牽意或在比中或在比外皆須出得有力

題中要緊之字宜先於空中刻鏤反處攻擊若非要緊之字或可作平常說出

出落二字有別自無題字處點題字可謂之出不可謂

之落自題中此字出彼字就彼字而言謂之出就自此之彼而言謂之落審於出落之來路去路交之脈理斯眞矣

出落以結上開下須視結至何處開至何處有所結多而所開少者有所結少而所開多者大凡在前者多開在後者多結中間或多結或多開

昔人論布局有原反正推四法原以引題端反以作題勢正以還題位推以闡題蘊

空中起步實地立腳絕處逢生局法具此三者文便不可勝用尤在審節次而施之

起承轉合四字起者起下也連合亦起在內合者合上

也連起亦合在內中間用承用轉皆兼顧起合也

局法有從前半篇推出後半篇者有從後半篇推出前半篇者推法固順逆兼用而順推往往不如逆推者逆推之路較寬且活也

文之順逆因題而名順謂從題首遞下去逆謂從題末繞上來以一篇位次言之大抵前路宜用順後路宜用逆蓋一戒淩躐一避板直也

文局有寬有緊大抵題位寬則局欲緊題位緊則局欲寬

文局有先空後實有先實後空亦有疊用實疊用空者

有先反後正有先正後反亦有疊用正疊用反者其

疊用者必所發之題字不同至正反俱有空實空實
俱有正反固不待言

文之有出對比共七法曰剖一爲兩補一爲兩迴一爲
兩反一爲兩截一爲兩剝一爲兩襯一爲兩

柱分兩義總須使單看一比則偏合看兩比則全若單
看已全則合看爲贅矣

立柱須明三對大抵言對不如意對正對不如反對平
對不如串對

柱意最要精確如題中實字虛字及無字處各有當立
之柱若非其柱而立之則可移入他題即不然亦可
於本篇中前後互換矣

分析題義用兩與用二不同二有次序串義也兩乃敵耦平義也

文家皆知鍊句鍊字然單鍊字句則易對篇章而鍊字句則難字句能與篇章映照始爲文中藏眼不然乃修養家所謂瞎鍊也

多句之中必有一句爲主多字之中必有一字爲主鍊字句者尤須致意於此

文家用筆之法不出紆陡相濟紆而不懈者有陡以振其紆也陡而不突者有紆以養其陡也

筆法之大者三曰起曰行曰止而每法中未嘗不兼具三法如起便有起之起有起之行有起之止也

起筆無論反正虛實皆須貫攝一切然後以轉接收合回顧之

正起反接反接後復將反意駁倒則與正接同實且視正接者題位較展而題義倍透故此法尤為作家所倘

文有因轉接而合者有因轉接而開者春夏秋冬秋冬春夏一也

筆法初非本領之所存然愈有本領愈要講求筆法筆法所以達其本領也

問起講何倘曰要起得起問入手領題何倘曰要領得起問提比何倘曰要提得起

提比要訣全在原題不知原題而橫出意議豈但於本位不稱并中後之文亦無根本關係矣

前路要意寬語緊緊乃所以善用其寬後路要意實語靈靈乃所以善用其實

制藝體裁有二一本註釋就題詮題也一本古文夾敘夾議也註釋合多開少古文小開大合大開小合俱有之

先敘後議我注經也先議後敘經注我也文法雖千變萬化總不外於敘議二者求之

開合分大小以文言不以題言也就一比論之開大者如十句開一句合是也合大者如一句開十句合是

也若接諸題字則爲題中一字作開者必仍就此一
字合合處不得添出一題字爲題中兩字作開者必
仍兼此兩字合合處不得減去一題字何大小之可
分耶
立一義於先然後有離有合離者離此合者合此也若
未嘗先有所立之義不知是離合箇甚
文有合前之開有開前之開如今又棄寡人而歸兩句
以得侍同朝甚喜爲開得侍句又以前日願見而不
可得爲開也
文於題全反爲正半反爲翻如題言如此則好文言不
如此則不好是上下兩截俱攻題背要其意中則仍

是言如此則好耳故曰全反爲正若題言如此則好文言不如此也好是反上截或言如此也未必好是反下截所謂半反爲翻也

凡就題之反面抉其弊者是正文非反文也而人往往以反文目之爲其與反文相似耳欲實知其爲正爲反有驗之之法但權將本題接入文下而以故字冠其首如接得者便知是正文矣若非正文何以不待用然字作轉乎

文有非面如不知者以爲爲內是也有似面如其知者以爲爲無禮是也

襯法有捧題有壓題捧題以低淺壓題以高深

襯托不是閒言語乃相形相勘緊要之文非幇助題旨卽反對題旨所謂客筆主意也

文之颺處爲寬拍處爲緊用寬用緊取其相間相形若全寬是無寬全緊是無緊也

文忽然者爲斷變化之謂也如斂筆後忽放筆是復然者爲續貫注之謂也如前已斂筆中放筆後復斂筆以應前是

抑揚之法有四曰欲抑先揚欲揚先抑欲抑先抑欲揚先揚沈鬱頓挫必於是得之

振字訣其用有三曰振下振上兼振上下

文有關鍵便緊有題字之關鍵如做此動彼是也有文

法之關鍵如前伏後應是也
文要鍼鋒相對起對收收對起起收對中間但有一字
一句不鍼對卽爲無著卽爲不純
章法之相間如反正淺深虛實順逆皆是句法之相間
如明暗長短單雙婉峭皆是
拍題有正拍反拍順拍倒拍之不同而全在未拍之先
善爲之地所謂翔而後集也
文不外理法辭氣理取正而精法取密而通辭取雅而
切氣取清而厚
有題之理法有文之理法以文言之言有物爲理言有
序爲法

文之要三主意要純一而貫攝格局要整齊而變化字句要刻畫而自然

文無一定局勢因題爲局勢無一定格法因題爲格法無一定句調因題爲句調不然則所謂局勢格法句調者粗且外矣

文莫貴於高與緊不放過爲緊不犯手爲高

文之善於用事者實者虛之虛者實之文之善於抒理者顯者微之微者顯之

文要不散神不破氣如樂律然既已認定一宮爲主則不得復以他宮雜之

文尚奇而穩此旨本昌黎答劉正夫書奇則所謂異也

穩則所謂是也

立天之道曰陰與陽立地之道曰柔與剛文經緯天地者也其道惟陰陽剛柔可以該之

易繫傳言物相雜故曰文國語言物一無文可見文之爲物必有對也然對必有主是對者矣

制義推明經意近於傳體傳莫先於易之十翼至大學以所謂字釋經已隱然欲代聖言如文之入語氣矣

漢桓譚徧習五經皆訓詁大義不爲章句於此見義對章句而言也至經義取士亦有所受之趙岐孟子題辭云漢興孝文廣遊學之路孟子置博士訖今諸經通義得引孟子以明事謂之博文唐楊瑒奏有司試

帖明經不質大義因著其失宋仁宗時范仲淹宋祁等奏言有云問大義則執經者不專於記誦矣合數說觀之所以用經義之本意具見

宋文鑑載張才叔自靖人自獻於先王一篇隱然以經義爲古文之一體似乎自亂其例然宋以前已有韓昌黎省試顏子不貳過論可知當經義未著爲令之時此等原可命爲古文也

元倪士毅撰作義要訣以明當時經義之體例第一要識得道理透徹第二要識得經文本旨分曉第三要識得古今治亂安危之大體余謂第一第三俱要包於第二之中聖人瞻言百里識經旨則一切攝入矣

經義戒平直亦戒艱深作義要訣云長而轉換新意不害其爲長短而曲折意盡不害其爲短戒平直之謂也又云務高則多涉乎僻欲新則類入乎怪下字惡乎俗而造作太過則語澀立意惡乎同而搜索太甚則理背戒艱深之謂也

厚根柢定趨向以窮經爲主秦漢文取其當理者唐宋文取其切用者制義宜多讀先正餘愼取之

他文猶可雜以百家之學經義則惟聖道是明大抵不離天地之常經古今之通義也然觀王臨川答曾子固書云讀經而已則不足以知經此又見羣書之宜博也

欲學者知存心修行當以講書爲第一事講書須使切己體認及證以目前常見之事方覺有味且宜多設問以觀其意然後出數言開導之惟不專爲作文起見故能有益於文

明儒馮少墟先生名所輯舉業爲理學文鵠理學者兼致知力行而言之也我　朝論文名言如陳桂林寄王罕皆書云雖不應舉亦可當格言一則此亦足破干祿之陋見證求理之實功已

文不易爲亦不易識觀其文能得其人之性情志向於工拙疏密之外庶幾知言知人之學也與

藝槩卷六終

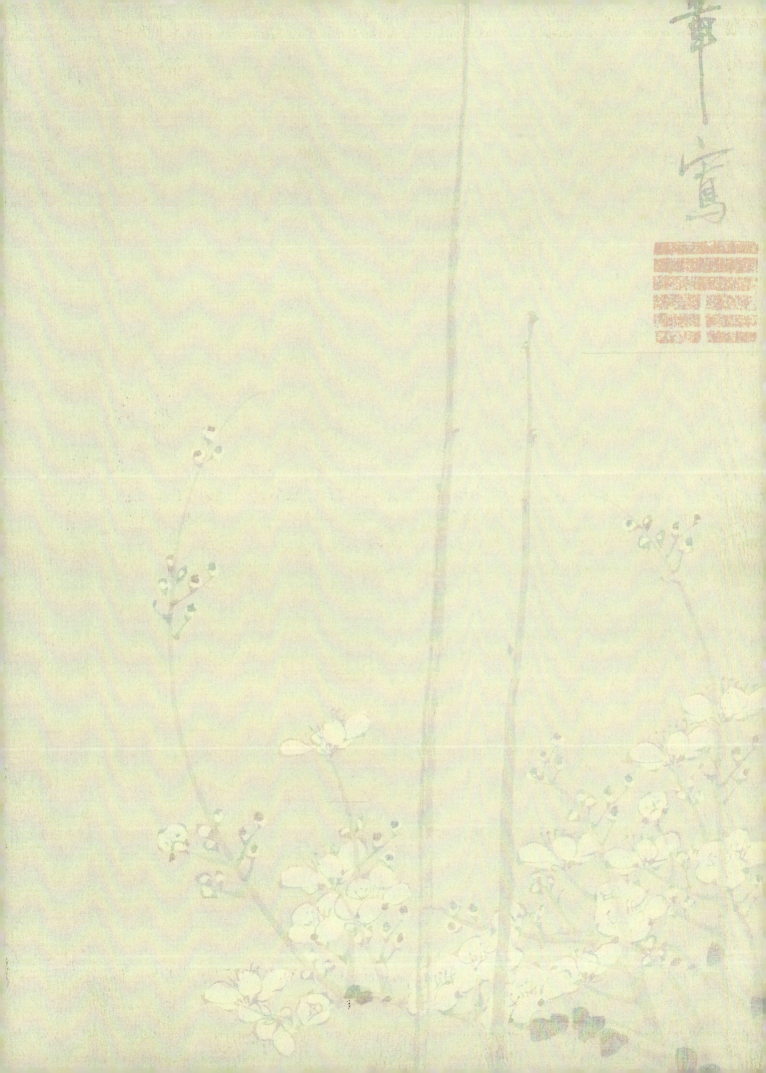